Numérologie, Anges, Amulettes et Quartz 2024

Astrologues

Alina A. Rubi et Angeline Rubi

Publication indépendante

Copyright © 2024

Astrologues : Alina A. Rubi et Angeline Rubi

Courriel : rubiediciones29@gmail.com

Éditeur : Angeline A. Rubi

rubiediciones29@gmail.com

Introduction Anges

Les anges sont des êtres de lumière qui ont pour mission de nous aider à évoluer et de nous protéger des dangers. Chacun est protégé par un Ange, ou plusieurs Anges, en fonction de sa date de naissance. Votre Ange gardien veille à votre réussite en amour, au travail et dans les autres domaines de votre vie.

Parfois, nous sommes tellement plongés dans une vie stressante que nous oublions que nous sommes accompagnés par des êtres de lumière qui attendent que nous leur demandions de l'aide. Lorsque nous prenons conscience de leur présence et que nous décidons de profiter du cadeau que représente leur présence dans notre vie, notre monde se remplit de magie.

Cet horoscope des anges 2024 contient de nombreux messages spirituels à votre intention. Si vous vous sentez perdu ou si vous vous demandez quelle est votre mission en cette année 2024, vous trouverez ici les réponses. Si vous avez acheté ce Balance, c'est que l'univers essaie de vous dire quoi faire et où aller. Tout ce que vous avez à faire est de découvrir les messages cachés que les Anges vous ont envoyés dans ce Balance.

Les anges existent depuis des milliers d'années dans différentes cultures et civilisations. Ils ont des pouvoirs spéciaux et ont contribué à l'évolution humaine, au changement et au développement de notre société. Les Anges Gardiens seront présents dans votre vie en 2024 pour vous protéger, renforcer vos liens avec le monde spirituel et vous apporter de nombreux miracles.

Archange pour votre signe du zodiaque

Chaque signe du zodiaque a un archange mentor qui le supervise.

Lorsque vient le moment de se réincarner, nous choisissons le signe du zodiaque le plus approprié pour apprendre des leçons de vie qui nous apporteront plus d'expériences pour notre évolution.

Les Archanges nous aident à choisir le signe du zodiaque qui correspond au but de notre âme.

Bélier. Archange Chamuel

L'archange Chamuel signifie "celui qui voit Dieu" et est lié à l'initiative et à la passion, deux qualités très fortes dans le signe du Bélier. Ce signe est infatigable et ne s'arrête pas avant d'avoir atteint ses objectifs.

L'Archange Chamuel donne aux Béliers le pouvoir de décision et l'enthousiasme nécessaires pour atteindre leurs objectifs. Cet Archange est également connu sous le nom de Samael, Chamuel ou Camuel, et est l'Ange de l'harmonie, de la confiance, de la puissance et de la diversité.

Cet archange confère au signe du Bélier une personnalité affirmée et fiable.

Le Bélier est un signe extraverti, impétueux et enthousiaste face aux défis. Il est impatient et se met facilement en colère, mais n'est pas rancunier.

L'Archange Chamuel appartient au Rayon d'Or, à la planète Mars et au jour mardi.

Le message de l'Archange Chamuel au Bélier est le suivant :

Seule l'énergie de l'amour au sein d'un objectif donne une valeur et un bénéfice durables.

Le quartz rose est lié aux énergies curatives de l'archange Chamuel et peut être utilisé pour la guérison émotionnelle en invoquant son nom ou sa présence, car il est spécialisé dans la guérison émotionnelle.

L'Archange Chamuel dirige tous les Anges de l'Amour. Ils donnent au Bélier de la compassion et de l'amour lorsqu'il le demande. Chamuel peut vous aider dans vos relations, surtout en cas de conflits, de complications émotionnelles ou de ruptures. L'Archange Chamuel peut vous aider à trouver votre âme ou votre flamme jumelle et dans toutes les circonstances qui nécessitent une communication spontanée.

Chamuel peut vous aider à construire des structures solides et saines, à améliorer votre capacité à aimer, *afin que vous puissiez donner et recevoir de l'amour de manière totalement inconditionnelle.*

Chamuel dissout les sentiments de manque d'estime de soi, aide à trouver son but et sa mission d'âme.

L'archange Chamuel représente la force d'affronter et de surmonter les défis de la vie. Si vous ne savez pas ce que vous voulez, Chamuel vous conduira vers des environnements qui vous apporteront la paix, en vous aidant à relâcher les tensions et le stress. L'archange Chamuel est le protecteur des faibles et des humiliés.

Comme l'archange Chamuel voit dans toutes les directions du temps, c'est-à-dire en trois dimensions, il peut vous aider à trouver des choses qui vous ont échappé.

Invoquez l'archange Chamuel si vous vous sentez triste : il vous aidera à guérir, à soulager la douleur et l'incapacité à pardonner.

Pour invoquer ou évoquer l'aide à la guérison émotionnelle avec l'Archange Chamuel, il faut allumer des bougies roses ou placer des roses sur les bougies et demander la guérison.

Tous les Archanges ont une place exclusive sur le plan éthérique de la Terre et vous pouvez trouver leurs sanctuaires par la méditation ou dans vos rêves. Le temple éthérique de l'Archange Chamuel est situé à St Louis, Missouri, USA.

Taureau. Archange Haniel

L'Archange Haniel gouverne le signe du Taureau, ce qui renvoie aux caractéristiques d'intégrité, de confiance et de pragmatisme. Le nom de l'Archange Haniel signifie "grâce de Dieu" et il est l'Ange de l'intellect.

Haniel est lié à la planète Vénus et au vendredi.

Le Taureau est un signe qui aime le confort matériel, le luxe et les produits de qualité. Il est prospère dans de nombreux domaines, mais surtout dans celui de la finance.

Le Taureau est un signe très despotique qui doit apprendre la patience. Il a un penchant naturel pour la stabilité, mais doit veiller à ne pas tomber dans le piège du matérialisme.

L'archange Haniel est également connu sous les noms de Anael, Anafiel et Daniel. Ses couleurs sont l'orange et le blanc.

Cet archange est relié aux rayons blanc et orange.

Haniel a une énergie qui nous pousse à rechercher la sagesse spirituelle, car il est aussi l'Ange de la Communication Céleste et travaille avec les énergies de groupe et les orateurs. C'est un Archange relié à la

Lune, il se connecte donc à nous à travers des visualisations et des rêves récurrents. L'Archange Haniel aide à transmuter les vibrations et les énergies sombres et offre sa protection. Il nous accompagne dans les nouveaux départs, dans les phases de transition de notre vie.

Cet Archange apporte l'inspiration dans nos vies, enseigne des leçons et supervise la guérison spirituelle et les différents types de religion. L'Archange Haniel récupère les secrets perdus, harmonise les relations et apporte la beauté en toutes choses. Haniel guérit l'envie, la colère et la jalousie.

L'archange Haniel vous communique des informations sur votre profession et vos relations. Il t'aide sur ton chemin spirituel et t'incite à trouver le but de ta vie. Il t'incite à regarder à l'intérieur de toi et à trouver ta vérité personnelle, car c'est ainsi que tu pourras te défendre.

L'archange Haniel vous aide à vivre dans le présent, à voir la réalité et à reconnaître vos talents et vos capacités.

L'Archange Haniel vous rappelle qu'il est de votre responsabilité d'être en bonne santé mentale et physique. Cet Archange est associé à la guérison par le quartz et les huiles essentielles, c'est pourquoi il supervise les médecins homéopathes. Cet Archange puissant a le pouvoir de transformer la tristesse en bonheur.

Cet archange agit sur les déséquilibres du champ énergétique et apporte la guérison au niveau émotionnel, spirituel et physique.

C'est un archange guerrier qui nous aide à réaliser le but de notre âme, en nous guidant à travers des révélations, des visions et des synchronicités angéliques.

Lorsque vous vous sentez confus ou déprimé, invoquez l'archange Haniel pour qu'il vous donne le don de la persévérance.

Gémeaux. Archange Raphaël

Les Gémeaux sont protégés par l'Archange Raphaël, c'est pourquoi ce signe du zodiaque est si adaptable et sociable.

Raphaël est l'un des principaux anges guérisseurs et guide les guérisseurs.

L'archange Raphaël gouverne la planète Mercure et le jour du mercredi.

Les Gémeaux sont très intelligents et leur outil le plus précieux est leur esprit. Les Gémeaux sont très polyvalents et cette attitude draine leur énergie, conduisant parfois à l'épuisement nerveux et à l'anxiété. Les Gémeaux ont une soif insatiable d'apprendre et leur esprit est très curieux.

L'archange Raphaël est relié au rayon vert. Les pouvoirs de guérison de Raphaël se concentrent sur la dissolution des blocages et leur transmutation en amour.

L'archange Raphaël est connu pour être le chef des anges gardiens et le patron de la médecine, c'est pourquoi on l'appelle aussi l'archange de la connaissance.

Raphaël est également le saint patron des voyageurs et aide à guérir spirituellement et physiquement non seulement les humains, mais aussi les animaux.

Cet archange Raphaël peut vous aider à développer votre intuition et à améliorer votre visualisation créative. Il vous met en contact avec votre spiritualité personnelle et vous permet de trouver la guérison dans la nature. L'émeraude est le quartz de guérison associé à l'Archange Raphaël.

L'Archange Raphaël travaille sur votre subconscient afin que vous puissiez vous libérer de la peur et de l'obscurité. L'équipe des Anges Guérisseurs est dirigée par l'Archange Raphaël ; ces énergies de l'Archange Raphaël et de ses Anges Guérisseurs peuvent être invoquées dans les hôpitaux et dans les circonstances *où il y a une personne malade qui n'est pas connue pour souffrir d'une maladie.*

L'Archange Raphaël concentre ses énergies de guérison sur la dissolution des blocages dans les chakras qui causent des maladies et aide à éliminer les dépendances.

Raphaël guérit les blessures des vies antérieures, effaçant tout le karma familial hérité.

Vous pouvez invoquer l'Archange Raphaël chaque fois que vous ou quelqu'un d'autre souffre d'une maladie physique, il interviendra directement et vous guidera vers la guérison.

L'archange Raphaël vous rappelle que la guérison passe par le pardon et qu'il est étroitement lié aux guérisseurs de lumière. Raphaël veille à ce que tout ce qui est nécessaire à une guérison réussie apparaisse.

Invoquer l'Archange Raphaël pour être protégé et guidé vous aidera à libérer votre énergie et à vous concentrer. Pour invoquer le pouvoir de guérison de l'Archange Raphaël, allumez des bougies vertes ou jaunes et obtenez des résultats immédiats.

L'Archange Raphaël n'est pas limité par le temps et l'espace et il est capable d'être simultanément avec tous ceux qui invoquent sa présence. Il vient à vos côtés dès que vous lui demandez de l'aide.

Cancer - Archange Gabriel

L'archange Gabriel protège le signe du Crabe. Il règne le lundi.

Le Cancer est un signe très empathique et sensible. Ils semblent gentils, mais ils sont actifs. La famille est la chose la plus importante pour les Cancers.

L'archange Gabriel est connu comme l'ange de la résurrection, l'ange de l'harmonie et de la joie. Il a annoncé la naissance de Jésus-Christ et a communiqué avec Jeanne d'Arc.

L'archange Gabriel lui apprend à rechercher l'aide des anges par la méditation et les rêves et à se soucier de l'humanité dans son ensemble.

Gabriel est l'Archange de l'esprit ; il peut être invoqué lorsque nous avons des problèmes mentaux, pour nous aider à prendre des décisions.

L'Archange Gabriel est le protecteur des émotions et de la créativité. Lorsque nous luttons contre les abus, les dépendances, les familles dysfonctionnelles et pour l'amour, c'est l'Archange Gabriel que nous devons invoquer.

L'Archange Gabriel vous offre la spiritualité et élève votre esprit. Il vous met en garde contre les énergies qui vous entourent.

Gabriel connaît le but et la mission de votre âme, sa mission est de vous aider à comprendre quelles sont vos obligations contractuelles dans cette incarnation.

L'Archange Gabriel augmente la créativité, l'optimisme, dissipe les peurs et donne de la motivation. Gabriel purifie et élève vos vibrations, vous guide dans votre vie et vous aide à vivre fidèlement, en honorant vos talents et vos capacités.

Gabriel vous rappelle que chacun contribue au développement de l'humanité en étant ce qu'il est. Il veut que vous soyez ferme dans vos convictions.

Cet archange vous aidera à connaître la vérité dans les situations de conflit, vous donnera plus de perspicacité et de discernement.

L'Archange Gabriel est un Ange de la Connaissance, lié aux leaders spirituels, qui nous instruit sur nos talents et nous montre les symboles de la mission de notre âme, afin que nous puissions attirer les connexions et les opportunités parfaites.

Invoquez l'archange Gabriel pour nettoyer et purifier votre corps et votre esprit des pensées négatives. Tournez-vous vers lui pour qu'il vous aide dans toutes les formes de communication, y compris la capacité de parler et de vous faire de nouveaux amis.

Lion - Archange Michael

L'archange Michel est le chef des armées célestes et protège le signe du Lion. Son nom signifie "celui qui est comme Dieu" et il est le symbole de la justice. Il est considéré comme le plus grand de tous les archanges.

L'Archange Michael travaille avec le Rayon Bleu et règne le dimanche. Michael aide à la communication et est connu comme le Prince des Archanges.

Le Lion est un signe qui possède d'excellentes capacités d'organisation et qui est toujours prêt à rechercher le succès. Il est compétitif et loyal envers ses proches.

L'archange Michael vous aide à prendre conscience de vos pensées et de vos sentiments et vous encourage à agir. Michael vous offre protection, confiance en soi, force et amour inconditionnel.

L'Archange Michael a pour mission de nous libérer de la peur, de la négativité, du drame et de l'intimidation. Cet Archange a pour mission de démanteler toutes les structures dysfonctionnelles, telles que les systèmes gouvernementaux et les organisations financières corrompues.

Michael est le protecteur de toute l'humanité, vous pouvez l'invoquer pour vous renforcer, pour changer *de direction et pour trouver votre but. Invoquez Michael si vous ressentez un manque de motivation.*

Cet archange travaille pour la coopération et l'harmonie avec les autres et se spécialise dans l'élimination des implants énergétiques et la coupure des liens qui nous paralysent.

L'Archange Michael nous aide à défendre nos vérités sans compromettre nos principes, il apporte la paix et lorsque nous sommes prêts à nous débarrasser de vieux concepts et croyances, l'Archange Michael nous soutient en coupant les liens qui nous lient négativement et nous empêchent de réaliser notre potentiel.

L'Archange Michael guide ceux qui se sentent piégés dans leur profession et nous aide à découvrir la lumière qui est en nous, en nous donnant du courage face aux situations difficiles.

Demandez à l'Archange Michael de couper les cordes énergétiques qui vous lient à des situations néfastes, à des personnes toxiques, à des schémas de comportement et à des émotions.

Les personnes liées à l'Archange Michael sont puissantes, fortes et empathiques. Vous invoquez l'Archange Michael pour protéger votre maison et votre famille, et il vient chaque fois que vous avez besoin de force pour surmonter un conflit difficile.

Vous pouvez visiter leurs temples en méditant ou en dormant, dans le royaume éthérique au-dessus des Rocheuses canadiennes.

Vierge - Archange Raphaël

L'archange Raphaël protège le signe de la Vierge et gouverne la journée du mercredi. Il est l'un des principaux anges guérisseurs et offre ses attributs d'efficacité et d'esprit d'analyse au sixième signe du zodiaque.

Les Vierges sont toujours attentives aux détails, car elles aiment examiner toutes les options avant de prendre une décision. Elles sont parfois timides et n'aiment pas attirer l'attention sur elles.

L'Archange Raphaël gouverne le Rayon #4, le Rayon Vert, et est connu comme l'Ange Gardien principal. Il aide à développer l'intuition et à ouvrir le cœur aux pouvoirs de guérison de l'Univers.

Raphaël vous met en contact avec votre spiritualité et vous permet de trouver la guérison dans les énergies universelles. Il est connu comme le médecin du royaume angélique, car il a la capacité de diriger ses pouvoirs de guérison vers la dissolution des blocages négatifs et des maladies.

Raphaël peut être invoqué pour nous guérir et pour guérir les autres. Raphaël aide à guérir les relations et à éliminer les dépendances. Il soutient les travailleurs de la lumière et

Et nous guide pour apporter des changements positifs dans notre vie.

Pour l'invoquer, allumez des bougies vertes. Vous pouvez visiter ses temples pendant la méditation ou dormir sur le plan éthérique au-dessus de Fatima, au Portugal.

Balance - Archange Haniel

La Balance est un signe protégé par l'archange Haniel, gouverné par la planète Vénus, et le vendredi.

La Balance est un signe impartial qui recherche toujours un équilibre entre l'âme, le mental et l'esprit. Elle est diplomate, stable et équilibrée. La diplomatie est leur caractéristique la plus évidente, car elles peuvent voir les deux côtés d'un conflit, mais sont quelque peu paralysées lorsqu'il s'agit de prendre des décisions.

La signification de l'archange Haniel est la gloire de Dieu et il entre en contact avec nous à travers les rêves. Il nous offre protection et harmonie. Haniel *nous aide dans les changements positifs, les nouveaux départs et favorise l'équilibre dans les transitions.*

Haniel gouverne la paix, apporte l'inspiration et aide à guérir l'envie et la jalousie.

L'archange Haniel nous incite à vivre dans le moment présent et à voir la réalité en nous. Il nous encourage à prendre soin de nous-mêmes et nous rappelle que nous sommes responsables de notre santé mentale et spirituelle. Il a le pouvoir de transformer la tristesse en bonheur et nous encourage à respecter nos rythmes naturels.

Invoquez l'Archange Haniel pour trouver l'équilibre, réaliser vos intentions et libérer les énergies négatives. Il vous aidera à rester calme lors d'événements importants et renforcera votre confiance. Haniel accorde des dons spirituels et des capacités psychiques et nous rappelle que nous sommes des êtres divins. C'est un ange guerrier, tournez-vous vers lui lorsque vous avez besoin d'un soutien spirituel ou que vous vous sentez émotionnellement faible, il vous donnera la détermination et l'énergie de faire confiance à votre intuition.

Scorpion - Archange Chamuel et Azrael

Le Scorpion est protégé par les archanges Azraël et Chamuel. Azraël est un ange qui gouverne la planète Pluton et Chamuel gouverne la planète Mars et le jour du mardi.

Les personnes sous l'influence du Scorpion ont une personnalité puissante et intense.

Les Scorpions ont une personnalité paranoïaque et sont obsédés par ce qui se passe dans leur vie. Ils s'accrochent fermement à ce qui leur appartient et refusent de céder sans se battre.

Le nom de l'Archange Azrael signifie celui que Dieu aide, il gouverne le Rayon #2 qui contient les vibrations de l'amour et de la sagesse. Azraël est souvent appelé l'ange de la mort et ce nom nous rappelle que la mort est une transformation.

Le but de l'Archange Azrael est d'aider ceux qui sont en transition de la vie physique à la vie spirituelle. Il fait preuve d'une grande compassion et d'une grande sagesse et possède des énergies de guérison universelles pour ceux qui pleurent la perte d'un être cher.

L'Archange Azrael réconforte les gens avant leur mort physique et veille à ce qu'ils ne souffrent pas pendant *la mort, en entourant la famille et les amis en deuil d'énergies de guérison.*

Invoquez l'Archange Azrael pour réconforter un être cher et transmettre des messages d'amour au monde spirituel. Azrael peut vous aider à traverser les étapes du deuil avec acceptation.

Azrael aide à créer de l'espace dans nos vies pour que de nouvelles énergies puissent y pénétrer.

Sagittaire - Archange Zadkiel

Le Sagittaire est protégé par l'Archange Zadkiel, qui travaille avec le rayon violet, gouverne la planète Jupiter et le jeudi.

Le Sagittaire est optimiste et intuitif par nature, mais il dépasse parfois les limites de la réalité.

Le nom Zadkiel signifie la justice de Dieu, mais il est aussi lié à l'obscurité et à l'inertie. Il nous aide à découvrir les aspects divins qui sont en nous et à développer les capacités qui servent nos objectifs de vie.

Zadkiel est l'Archange de la liberté, du pardon, de l'éveil spirituel, des bénédictions et du discernement. Utilisez la Flamme Violette pour invoquer l'Archange Zadkiel, qui vous aidera à méditer et à développer votre intuition. Zadkiel peut être invoqué pour apporter le pardon aux autres. Il guide les Anges de la Miséricorde et peut vous aider à être tolérant et diplomate.

Les énergies de guérison de l'Archange Zadkiel et de ses Anges de la Joie vous aideront toujours à transformer les souvenirs du passé, à surmonter les limitations, à éliminer les blocages énergétiques et à vous libérer des dépendances. Zadkiel vous encourage à aimer et à pardonner sans crainte et vous rappelle vous aimer et d'aimer les autres sans condition.

L'archange Zadkiel est la source d'énergie derrière la pauvreté et la richesse et toutes leurs manifestations, c'est pourquoi il est associé à la chance et au hasard. Zadkiel nous rappelle que la bonne et la mauvaise fortune sont méritées par chaque personne et évalue la chance en conséquence.

L'archange Zadkiel est responsable du début et de la fin des choses et peut être appelé pour mettre fin à une situation douloureuse. L'archange Zadkiel nous aide à trouver le courage intérieur de faire ce qui est juste pour nous-mêmes et pour les autres.

Pour entrer en contact avec l'Archange Zadkiel, utilisez des bougies violettes ou du quartz améthyste. L'Archange Zadkiel est associé au Maître Ascensionné Saint Germain et protège les mystiques,

L'Archange Zadkiel et Sainte Améthyste ont leur retraite éthérique, appelée le Temple de la Purification, sur l'île de Cuba.

Zadkiel guérit les blessures émotionnelles et les souvenirs douloureux, augmente l'estime de soi et aide à développer les talents et les capacités naturelles.

Si vous souhaitez une plus grande tolérance dans les situations conflictuelles, adressez-vous à l'Archange Zadkiel ; il transmutera tout ce qui est sombre et élèvera votre vibration.

Capricorne - Archange Uriel

Le Capricorne est protégé par l'Archange Uriel. Cet Archange signifie Feu de Dieu, gouverne le Rayon Rouge et est associé à la lumière, aux éclairs et au tonnerre.

Uriel est capable de nous montrer comment nous pouvons guérir notre vie, de nous aider à comprendre le concept de karma et de comprendre pourquoi les choses sont ce qu'elles sont. Uriel fait référence à la magie divine, à la résolution de problèmes, à la compréhension spirituelle et nous aide à réaliser notre potentiel.

Uriel devrait être invoqué lorsque l'on travaille sur des questions liées à l'économie et à la politique. Il peut également être invoqué pour obtenir une meilleure compréhension.

Uriel vous aide à vous libérer de vos peurs et ouvre des canaux de communication divine, favorise la paix, nous aide à nous libérer de nos schémas de comportement obsessionnels et apporte des solutions pratiques.

Uriel peut être invoqué pour le travail intellectuel et pour reconnaître la lumière en nous.

L'Archange Uriel a sa retraite éthérique dans les Monts Tatras en Pologne et tu peux demander à y être emmené pour guérir tes peurs.

Verseau - Archange Uriel

Le Verseau est protégé par l'Archange Uriel, qui donne à ce signe un caractère humanitaire.

Uriel travaille avec le rayon rubis et gouverne la planète Uranus.

Le Verseau est indépendant et progressiste. L'Archange Uriel aide à résoudre les problèmes et à trouver des solutions et est l'un des Archanges les plus puissants.

Uriel aide à dissoudre les blocages énergétiques dans le corps et, étant connu comme l'Ange du Salut, il est *capable de nous montrer comment nous pouvons guérir notre vie, en trouvant des bénédictions dans l'adversité, en transformant les défaites en victoires et en nous libérant de fardeaux douloureux.*

Uriel est l'ange de la transformation, de la créativité et de l'ordre divin, il gouverne les missionnaires et est le gardien des écrivains. Il est l'interprète des prophéties et de nos rêves. Il nous incite à prendre la responsabilité de notre vie et apporte des énergies de transformation dans notre esprit.

L'archange Uriel est invoqué pour la clarté et l'intuition. Il travaille à développer en nous les qualités de miséricorde et de compassion. Il offre sa protection, enseigne le service désintéressé et encourage la coopération.

L'archange Uriel purifie les vieilles peurs et les remplace par la sagesse, apportant une lumière vitale à ceux qui ont l'impression de s'être égarés et ressentent des émotions d'abandon et de suicide.

L'archange Uriel travaille à éradiquer la peur et à restaurer l'espoir, et cherche toujours à protéger le bien-être des personnes qui sont incapables d'exercer leur libre arbitre.

Invoquez l'Archange Uriel pour vous aider à développer votre plein potentiel et vous protéger de l'envie.

Vous pouvez demander à visiter ses temples pendant vos séances de méditation ou dans vos rêves. L'Archange Uriel a sa retraite éthérique dans les Monts Tatras en Pologne.

Poissons - Archange Azrael et Zadkiel

Le signe des Poissons est protégé et surveillé par l'Archange Azrael et l'Archange Zadkiel.

L'archange Azraël gouverne la planète Neptune et l'archange Zadkiel la planète Jupiter et le jour jeudi. Zadkiel travaille sur le rayon violet.

Les Poissons ont tendance à être idéalistes et sensibles, et aiment être amoureux. Tous les aspects de la vie doivent être empreints de romantisme.

L'Archange Zadkiel est le gardien de la Flamme Violette, qui a une fréquence vibratoire très élevée.

L'Archange Zadkiel est connu comme l'Ange de la Compréhension et de la Compassion et est associé à l'obscurité, à la contemplation et à l'éducation.

La mission de Zadkiel est de vous aider à vous éveiller spirituellement, en vous accordant des bénédictions conçues par la foi pour accroître la compréhension.

En utilisant la Flamme Violette, l'Archange Zadkiel vous aide à méditer et à augmenter vos capacités psychiques. Zadkiel nous aide à ouvrir notre esprit et nous donne une protection psychique.

Zadkiel encourage la tolérance, aide les gens à s'aimer eux-mêmes et nous relie à la mission de notre âme.

L'archange Zadkiel guérit nos blessures émotionnelles, nous libère et motive les gens à faire preuve de miséricorde envers les autres.

Travailler avec Zadkiel augmente votre estime de soi et vous aide à vous souvenir et à développer vos talents naturels, vos compétences et vos capacités. Appelez Zadkiel si vous avez besoin d'aide pour vous souvenir de détails et de faits spécifiques.

Invoquez l'Archange Zadkiel pour vous aider à guérir et à transcender vos émotions négatives et à améliorer vos fonctions mentales.

L'archange Zadkiel est l'énergie qui sous-tend la pauvreté et la richesse et toutes leurs manifestations, c'est pourquoi il est lié au hasard. Zadkiel distribue la justice sans préjugés, mais il est miséricordieux envers ceux qui le méritent. Il est responsable des commencements et des fins, et peut être invoqué chaque fois que l'on veut mettre fin à une situation chaotique.

L'archange Zadkiel est capable de briser les énergies bloquées ou stagnantes causées par la colère et la culpabilité.

Zadkiel et Santa Ametista ont leur sanctuaire éthérique sur l'île de Cuba.

Ange protecteur de votre signe astrologique

Nous nous sentons souvent seuls, sans protection physique ou émotionnelle. En réalité, même si vous ne le voyez pas, votre ange gardien ou votre guide spirituel est toujours avec vous et vous protège depuis le jour de votre naissance. Invoquez le nom de votre Ange lorsque vous sentez que vous avez besoin d'aide ou de conseils, choisissez de mettre votre vie entre ses mains et il vous guidera sur le meilleur chemin.

Bélier. Ange Annuel

Cet ange donne au signe du Bélier une santé indestructible et une protection contre les forces obscures du mal, y compris l'envie. Le Bélier a une personnalité inflexible et est très prompt au désespoir et à la colère, mais sa compassion et sa sensibilité lui ouvrent toutes les portes. Cet ange gardien est également connu sous le nom de Haniel ou Ariel. Il est l'ange de la créativité et de la sensualité. Il apporte le succès dans les relations, en amour et prévient les chagrins d'amour.

Taureau. Ange Uriel

Uriel entrera toujours dans ta vie quand tu en auras besoin pour des examens, des études médicales et quand tu auras des problèmes de séparation. Uriel protégera toujours ton esprit et éclairera ta pensée afin que tu puisses prendre les bonnes décisions.

Gémeaux. Ange Eyael

Eyael vous protégera toujours de l'adversité et vous débalancera de l'injustice, surtout lorsque vous travaillez. Cet ange est très spécial, il sait qui est bon à côtoyer, c'est-à-dire qu'il t'entourera de personnes influentes qui t'aideront à réussir. Cet Ange t'encourage à toujours voir le côté positif des choses et encourage tes sentiments de générosité et ton désir d'aider les autres.

Cancer. Angelo Rochel

Rochel donne au signe du Crabe une excellente vision pour détecter les dangers, ainsi que de la créativité et du talent pour découvrir des secrets cachés. Il détruira toutes vos peurs et vos ennemis. Demandez-lui de vous donner de la clarté, de la ruse et de l'intelligence.

Leo. Angelo Nelkhael

Nelkhael éloigne de vous la tristesse et le manque d'estime de soi. Il vous protégera des personnes qui vous calomnient par jalousie et vous aidera à tenir vos engagements et à prendre vos responsabilités. Les problèmes de la vie quotidienne seront plus faciles à résoudre sous son influence. Nelkhael vous soutient dans les moments les plus sombres et les plus tristes.

Vierge. Ange Melahel

Lorsqu'il est invoqué, **Melahel élimine la** *violence de votre vie et de votre entourage. Cet ange fournit une énergie qui éloigne vos ennemis ou vous rend invisible. Il est également lié à l'harmonie et à la guérison. Il vous amènera à vous connecter à l'univers et à profiter des secrets de la nature.*

Balance. Ange Yerathel

Yerathel offre au signe de la Balance beaucoup d'intelligence et d'intuition pour identifier ses ennemis. Cet ange vous donne lucidité et capacité de réflexion, des caractéristiques qui vous permettront de vous entourer des bonnes personnes. Yerathel vous donne les armes de la justice et vous permet d'être sage et tolérant. En invoquant Yerathel, vous obtiendrez le succès.

Scorpion. Azrael Angel

Azrael, connu comme l'Archange de la Mort, vous sauvera de l'injustice et, en même temps, renouvellera votre image et vos espoirs. Il vous rappelle que l'univers vous aime et vous guide sur le chemin de l'amour, de la tendresse et de l'harmonie au foyer. Si vous voulez trouver le bon partenaire pour créer une relation durable et fonder une famille, invoquez cet Ange.

Sagittaire. Ange Umabel

Umabel repousse l'envie dans vos relations et les sentiments qui peuvent vous nuire, comme la colère, la jalousie et la haine. Elle vous donne l'éloquence pour vous exprimer calmement et clairement. Elle vous donne l'art de la persuasion. Vous savez faire pencher la Balance en votre faveur et améliorer vos capacités de communication pour pouvoir expliquer les choses importantes.

Elle vous aide à prendre les bonnes décisions au bon moment.

Capricorne. Ange Sitael

Sitael, construisez des boucliers autour de vous, organisez votre vie et, si vous ne savez pas dans quelle direction aller, réfléchissez-y et concentrez-vous immédiatement. Si vous voulez améliorer votre situation financière, guérir d'une maladie, changer de maison, invoquez cet Ange et attendez le miracle.

Verseau. Ange Gabriel

Gabriel se battra pour toi jour après jour. Si tu as besoin d'aide parce que des personnes te veulent du mal ou te mettent en danger, demande la protection de cet Ange. Si vous craignez que quelqu'un commette une injustice à votre égard, en invoquant cet Ange vous serez sûr de neutraliser votre ennemi.

Poissons. Ange Daniel

Daniel vous gardera toujours à l'abri de la maladie et de la douleur physique, et vous vous sortirez toujours de toutes les mésaventures et de tous les accidents qui vous arrivent.

Carte des anges pour chaque signe du zodiaque 2024

Bélier. Carte des anges de Zadchiel

Zadchiel est l'Ange de la Miséricorde, symbolisant l'altruisme et le désintéressement pour le bien d'autrui. Zadquiel vous aidera à devenir une personne compatissante. Il vous aidera à retrouver les objets perdus, à améliorer votre mémoire et à guérir physiquement, émotionnellement et mentalement. Zadquiel vous aidera à apprendre à vous pardonner et à pardonner aux autres, à vous souvenir des informations importantes et à étudier. Si vous voulez *vous libérer des préjugés, invoquez l'archange Zadquiel, car l'une de ses tâches principales est de vous aider à voir votre lumière intérieure.*

Vous cesserez de considérer les erreurs comme des aspects négatifs de votre vie et commencerez à les voir comme un moyen d'apprendre. Vous verrez également vos échecs comme des bénédictions dans votre vie, parce que la perfection est impossible à atteindre et que même dans le chaos, il y a de la beauté.

Tu t'efforceras de devenir la meilleure version de toi-même, la meilleure personne que tu puisses imaginer. L'archange Zadquiel est un être supérieur que vous pouvez invoquer lorsque vous ressentez de la frustration, de la tristesse ou de la négativité. Ses armées peuvent vous aider à trouver le côté positif de toute situation et à vous sentir mieux émotionnellement.

Il est temps de se défaire des sentiments de culpabilité liés aux erreurs du passé. Reconnaissez que vous avez fait de votre mieux, même si les résultats n'ont pas été à la hauteur de vos espérances. Concentrez-vous sur les changements que vous avez apportés et qui ont fait de vous une meilleure personne.

Taureau. Carte des anges d'Uriel

Uriel, l'ange des clés, vous avertit de prendre de nouveaux chemins et de vous méfier des mauvaises influences. Si vous commencez à douter de vous ou à perdre la foi, cette carte vous rappelle que tout est possible grâce à l'apprentissage. La connaissance peut ouvrir toutes les portes et de nouvelles compétences peuvent ouvrir toutes les serrures. La *flamme du savoir ne s'éteint jamais et est à votre portée.*

Uriel ne vous conduira jamais sur un chemin incertain sans raison. Il est là pour vous soutenir tout au long de votre parcours, vous permettant de dire votre vérité et de devenir la meilleure version de vous-même.

Cette lettre vous rappelle que vous êtes plus sage que vous ne le pensez et que votre sagesse intérieure vous donnera toutes les réponses que vous cherchez. Accueillez cette connaissance et faites-lui confiance. Si vous avez des doutes, demandez-lui de vous donner des signaux clairs qui valident vos idées.

Uriel aide à éclairer les situations les plus obscures. Cependant, il n'éclaire qu'une étape à la fois, et il se peut donc que vous ne puissiez pas discerner clairement le résultat de vos actions. Vous devez avoir confiance qu'avec l'aide d'Uriel, vous saurez quelle étape franchir en cours de route.

N'oubliez jamais que le pardon peut faire des miracles. Lorsque vous vous libérez du passé, un poids est enlevé de vos épaules et vous ressentez un sentiment de liberté. Demandez à Uriel de vous aider à soulager la tristesse ou la douleur causée par les autres, afin que vous puissiez être libre.

Gémeaux. Carte de l'ange Raphaël

Il représente la force et la brillance personnelles.

Pour réussir, il est nécessaire de capitaliser sur sa personnalité. Le don le plus puissant de Raphaël est sa capacité à transformer les vies par une cascade d'énergie positive. On peut accéder à ce canal énergétique par des affirmations ou des techniques de méditation. Au cours de l'histoire, Raphaël est apparu dans de nombreuses religions, ce qui en fait un archange accessible aux personnes de toutes confessions.

Ce n'est pas le moment de renoncer à des relations malsaines. Il y a encore de l'espoir pour l'avenir.

Votre vie va connaître de grands changements. Vous pourriez vous retrouver dans une nouvelle carrière, dans une nouvelle relation, ou déménager dans une nouvelle maison ou une nouvelle ville. Profitez de ces événements passionnants, Rafael sera à vos côtés tout au long du chemin.

N'oubliez pas que l'avenir est toujours en évolution. Si vous n'aimez pas le résultat, vous avez la possibilité de le changer. Si le résultat vous plaît, continuez sur votre lancée. Pour rester sur votre voie, continuez à faire ce que vous faites. Calmez-vous ou changez l'intensité avec laquelle vous travaillez.

Raphaël vous aidera à reconnaître les ramifications de vos actions et votre but dans la vie.

Cancer. Carte de l'ange Haniel

Il représente tout ce que la terre a à offrir. Il annonce une nouvelle phase de succès dans votre vie.

Haniel peut vous demander de ralentir et de réfléchir attentivement aux actions que vous voulez entreprendre.

Haniel essaie de te guider vers un choix plus élevé, alors mets de côté tout ce que tu penses savoir sur tes circonstances ou ta situation actuelle et permets simplement à l'Univers et à Haniel de te montrer le chemin.

Lorsque vous devez prendre une décision importante, cet Ange vous enverra de nombreux signaux par synchronicité pour vous indiquer la bonne voie à suivre.

Il est important que tu prennes le temps de te ressaisir, car cet ange peut venir te donner les conseils dont tu as besoin à ce moment-là.

Cette lettre est apparue pour vous apporter des messages d'espoir et vous indiquer qu'il est temps de prendre conscience de tous les messages que l'Univers et Haniel vous envoient.

Peut-être avez-vous besoin de réponses à des questions difficiles, ou peut-être vous demandez-vous si les choses vont s'améliorer dans votre vie. Haniel est apparu pour te dire que tu devras cependant réfléchir attentivement à ce que tu dis aux autres et à ce qu'ils te disent. Haniel ne vous jugera jamais pour ce que vous pensez ou dites, mais vous encouragera à vous concentrer sur les choses qui vous donnent un sentiment de joie, de paix et de gratitude.

Lion. Carte de l'ange Gabriel

Gabriel te montre la dualité du bien et du mal. Il annonce des voyages,

Il se peut que tu commences à avoir des pensées qui te surprennent. Il est important de garder à l'esprit que plus votre réaction émotionnelle à ces pensées est forte, plus vous devez y prêter attention. Remarquez ce que les autres vous disent et qui coïncide avec ce que vous pensez. Lorsque vous demandez à Gabriel de confirmer que ce que vous pensez est vrai, il est toujours prêt à agir, alors soyez attentif.

Vous avez peut-être envie de consacrer du temps à la méditation ou à la lecture de Balances de développement personnel. Gabriel vous encourage à le faire car il sait combien il est important de remplir votre esprit de pensées positives.

Gabriel vous permet de comprendre que pendant que vous faites des changements dans votre vie et que vous faites face à des défis, vous êtes en totale sécurité. Il sait ce qui est le mieux pour vous. Rappelez-vous que lorsqu'on vous demande d'attendre, cela signifie qu'il y a quelque chose de mieux que ce que vous pouvez imaginer, préparé juste pour vous. C'est pourquoi vous devez accepter la situation.

Ne vous précipitez pas lorsque vous voyez quelque chose qui pourrait briser votre volonté. La porte suivante s'ouvrira le moment venu et vous aurez une nouvelle force.

Vierge. Carte des anges de Remiel

Remiel représente la miséricorde de Dieu, montrant que vous avez été privé de quelque chose. En cette année 2024, il est très important de se consacrer à l'acquisition de nouvelles connaissances, idées et compétences. Peut-être souhaitez-vous commencer à apprendre et cette carte vous encourage à suivre ce désir.

Si vous êtes étudiant, Remiel vous demande de poursuivre votre formation. Parfois, lors de l'acquisition de nouvelles connaissances et compétences, nous avons envie de les mettre rapidement à l'épreuve de la pratique, ce qui conduit de nombreuses personnes à quitter l'école prématurément.

Cette lettre vous conseille de ne pas vous précipiter. Continuez à étudier. L'épanouissement personnel qui découle de l'apprentissage peut vous apporter de la joie.

Remiel sait qu'il exerce de nombreuses responsabilités dans la vie et qu'il a donc besoin de temps, d'argent et d'autres ressources. Cette carte lui rappelle que des doses régulières de plaisir peuvent l'aider à atteindre ses objectifs. Amusez-vous et riez, détendez-vous. Dans cet état, vous devenez plus réceptif aux nouvelles idées, aux connexions spirituelles, aux enseignements et à l'énergie divine.

En outre, votre bonne humeur attire vers vous de nombreuses personnes merveilleuses qui peuvent vous aider. Votre attitude positive à l'égard du monde vous ouvre de nouvelles opportunités.

Balance. Carte de l'Ange de Saint Michel

L'archange Michel représente la justice et les forces du bien qui l'emportent sur le mal.

Vous n'êtes pas obligé de pardonner les erreurs, mais si vous pardonnez à quelqu'un, vous trouverez la paix. Il est conscient que ces sentiments peuvent être tout à fait justifiés, mais il vous demande de voir le prix élevé que vous payez pour avoir accumulé toute cette colère.

Débarrassez-vous de toutes les douleurs et colères du passé. Lorsque vous vous pardonnez à vous-même et *aux autres, votre karma est nettoyé du fardeau des erreurs passées.*

Tout le pouvoir du créateur est en vous. Tout le pouvoir de l'amour et de la sagesse divins est à votre disposition. Tu as la capacité de voir les anges et l'avenir, et tu as aussi l'intelligence de connaître la sagesse universelle de l'esprit divin.

Grâce à votre force émotionnelle, vous pourrez tenir tête aux autres et votre pouvoir psychique sera vraiment infini au cours de l'année 2024. Les anges vous demandent d'éliminer toutes les peurs liées à l'utilisation de la force. Ils voient votre véritable pouvoir rayonner de l'amour divin. Laissez-vous rayonner par cet amour, afin que votre véritable pouvoir puisse accomplir les miracles dont vous avez besoin. Vous pensez parfois être pris en otage par les circonstances de la vie, mais cette carte vous demande de réaliser que vous êtes votre propre prisonnier. Lorsque vous comprendrez que vous pouvez vous libérer, vous le ferez immédiatement.

Tout ce que vous faites dans votre vie, vous le faites par choix. Même les prisonniers sont libres de choisir leurs pensées, ce qui leur permet de trouver la paix et le bonheur en toutes circonstances. La prochaine fois que vous commencerez une phrase par les mots "Je suis obligé...", arrêtez-vous. Demandez à Miguel de vous montrer des alternatives. Il vous aidera.

Scorpion. Carte de Raziel l'Ange

Il est l'Ange des secrets et des mystères. En 2024, il vous révélera les mystères du monde terrestre et spirituel.

Cette année marque le début d'une période de croissance spirituelle dans votre vie et même si vous éprouverez des sentiments mitigés de confusion, de peur et de surprise, vous ne devez pas perdre votre sang-froid. Abandonnez vos peurs. Raziel vous soutient, vous aime et vous guide à chaque instant. Ne t'inquiète pas de savoir comment ton avenir s'harmonisera avec ta croissance.

Tu recevras des messages importants dans tes rêves. C'est une période de changements merveilleux dans ta vie, alors fais confiance à Raziel, il s'occupera exactement de ce que tu veux.

Les changements dans votre vie peuvent être douloureux si vous ne faites pas preuve de souplesse d'esprit. Si vous avez un nouvel amour, n'oubliez pas que le passé reste dans le passé, loin du nouveau bonheur.

Tu as besoin d'élargir tes horizons et Raziel est là pour t'aider. Il est temps d'écouter ton cœur. Prends conscience de l'importance du toucher et ne sois pas trop têtu. Aie confiance en toi. Ne t'inquiète pas. Quels que soient les défis que tu rencontres, tu es sur le chemin de la sérénité.

Tu as besoin de réconfort et cet ange te donne confiance. Bientôt, tu seras sur le chemin du bonheur et de l'harmonie dont tu as besoin. Fais de bonnes actions, elles t'aideront à te sentir mieux et tu recevras de bonnes choses en retour.

Sagittaire. Carte de l'ange Metatron

Il représente la grandeur et la force qu'une personne devrait avoir. En invitant Metatron dans votre vie, vous vous ouvrez à la guérison spirituelle et énergétique, vous vous purifiez de toute négativité. Vous vous protégez des maladies et, bien sûr, vous vous rapprochez de la transformation.

Vous devez honorer toutes les émotions que vous ressentez à ce moment-là, qu'elles soient positives ou négatives. Les émotions peuvent nous apprendre beaucoup sur nos véritables sentiments et sur les personnes ou les situations qui les ont suscités.

Vous pouvez recevoir des commentaires d'autres personnes et c'est le miroir qui vous permet de voir ce qu'il y a à l'intérieur de vous.

Metatron vous protège en coupant les cordes qui vous lient aux gens, aux lieux et aux choses. Si vous avez peur, si vous manquez de courage ou si vous avez besoin de protection, imaginez son manteau protecteur autour de vous, vous aidant à vivre votre vérité. Il s'agit d'une carte spéciale. Vous êtes guidé et soutenu. Metatron est avec vous en ce moment et il y a un message spécial qu'il veut partager avec vous. Fermez les yeux, respirez profondément, entrez-en vous-même et détendez-vous. Écoutez les conseils que vous recevez.

Vous êtes parfait, et c'est un fait spirituel. Metatron vous embrasse doucement et vous fait savoir que vous êtes un être spirituel parfait. Vous n'êtes pas seul, peu importe ce que vous ressentez. Remets tous tes soucis entre ses mains et permets-lui de guérir tes problèmes grâce aux conseils divins.

Votre vie a un sens et chaque étape est une partie essentielle de votre voyage, mais soyez assurés que vous êtes protégés à tout moment et que tous les anges veillent sur vous avec beaucoup d'amour. Faites confiance.

Capricorne. Carte de l'ange Raguel

C'est l'Ange qui prodigue des conseils aux hommes pour les guider sur le chemin de la vie.

Votre âme sœur va entrer dans votre vie. Si vous êtes libre, considérez la carte comme un signe de Raguel que votre âme sœur est présente.

Supposons que vous soyez dans une relation et que vous sachiez que cette personne n'est pas votre âme sœur. Dans ce cas, vous et votre partenaire serez doucement guidés pour améliorer la relation, ou pour *y mettre fin avec élégance, afin d'obtenir une nouvelle relation avec votre âme sœur.*

Une meilleure concentration sur les désirs de votre cœur et un meilleur contact avec votre Moi supérieur vous aideront à accomplir toutes les tâches et à résoudre tous les problèmes que vous avez remis à plus tard. Vous avez peut-être une liste d'objectifs pour cette année 2024, mais vous devriez libérer votre esprit et mieux concentrer vos pensées sur ce que vous voulez vraiment et vous serez en mesure de réaliser vos souhaits.

Visualiser vos souhaits est le moyen le plus rapide d'ouvrir la porte à l'univers et à son offre de les réaliser. Ne vous préoccupez pas de savoir comment vos souhaits se réaliseront. Laissez-les entre les mains de l'univers.

Écoutez votre moi supérieur et demandez aux anges de vous guider. Commencez à agir dès que vous vous sentez encouragé. Parfois, les résultats ne seront pas ceux que vous attendiez, mais c'est la beauté de la vie et de l'univers. Vous êtes guidé vers ce dont vous avez vraiment besoin.

Verseau. Carte de l'ange Amiel

Arcángel

Amiel

Il est annonciateur des changements auxquels vous devrez vous adapter et des territoires inconnus que vous devrez visiter.

Offrez-vous des moments de qualité avec votre famille et vos amis. Vous pouvez puiser beaucoup de force auprès de ceux qui vous aiment. Si vous avez un problème avec un membre de votre famille ou un ami, Amiel vous encourage à le faire remonter à la surface.

La libération et la guérison vous libèreront, créant des opportunités plus favorables pour vous. Ou peut-être que le simple fait de passer du temps de qualité avec vos proches produira des résultats positifs.

En progressant spirituellement, vous deviendrez plus sensible aux vibrations denses et négatives de la réalité, ainsi qu'aux dimensions supérieures de l'amour. Cette carte vous incite à nettoyer votre espace énergétique.

Cette année, respirez calmement et imaginez que vous êtes entouré d'une sphère de lumière blanche. Amiel vous apporte ses bénédictions.

Vos prières seront entendues et exaucées. L'amour, les finances, l'amitié et la famille seront déterminés par votre attitude. Demandez à Amiel de vous aider à vous traiter avec le respect que vous méritez. Lorsque vous êtes dans cet état d'estime de soi, vous êtes plein d'énergie positive qui se répand sur les gens autour de vous. Cela vous permet d'attirer des relations positives et aimantes qui sont gratifiantes.

Poissons. *Le thème des anges de Dobiel*

Messager des secrets divins.

Qu'il s'agisse d'anges, de membres de la famille, de voisins ou d'amis, vous recevrez de l'aide. En demandant de l'aide, vous permettez à l'univers d'agir en votre faveur. Croyez que vous serez guidé vers la bonne personne ou la bonne situation qui pourra vous aider dans n'importe quel domaine.

Nous ne sommes pas des îles en soi et nous ne sommes pas obligés de résoudre tous les problèmes de manière indépendante. Les anges aiment partager, et un problème partagé est la moitié du problème. Ne craignez jamais de demander de l'aide. Les miracles existent et vous y avez droit.

Vous devez vous encourager à rester positif et à vous concentrer uniquement sur ce que vous voulez. Penser à ce que l'on ne veut pas ne donne que des résultats négatifs. Le simple fait de se concentrer sur des pensées positives peut améliorer votre vie.

Si vous sentez que vous manquez d'approche positive, demandez de l'aide à l'univers et, surtout, croyez qu'il vous aidera. Même ce petit geste contribuera à faire une grande différence dans votre vie.

Vous avez les compétences, la confiance et les connaissances nécessaires pour diriger une entreprise prospère. Qu'attendez-vous ? Avec cette carte, Dobiel veut vous dire que vous avez le talent pour réussir dans votre entreprise. Si vous avez pensé à devenir indépendant et à créer votre propre entreprise cette année 2024, cette carte est un bon signe que votre intuition est juste. Il est parfois difficile de faire le premier pas, mais soyez assuré que Dobiel vous guide dans cette affaire et faites-lui confiance.

Signification de 2024

2024 est le nombre idéal pour créer. En effet, sa vibration est liée à un vaste domaine de possibilités infinies.

Cette vibration peut prendre différentes formes. Elle peut façonner votre avenir ou peindre dans votre esprit une image de ce que sera votre vie lorsque vos désirs les plus profonds se réaliseront. Cela vous donnera la motivation nécessaire pour aller de l'avant dans votre vie.

2024 est une année puissante car vos sens psychiques seront renforcés. Si vous souhaitez avoir plus d'intuition ou ouvrir votre perception, c'est l'année idéale pour le faire. C'est le moment idéal pour créer au sens littéral du terme. En fait, c'est un nombre angélique très créatif.

Prédictions angéliques pour le signe 2024

Prévisions pour le Bélier

L'année 2024 indique que l'amour, les nouvelles connaissances et la passion vous attendent. Des richesses inattendues peuvent arriver, vous apportant la sécurité dans votre vie financière. Mais n'oubliez pas que vous devez accepter l'incertitude et être ouvert à des changements inattendus dans votre vie. Dans votre vie professionnelle, vous obtiendrez succès et reconnaissance.

Un avenir radieux vous attend. Il est conseillé de regarder à l'intérieur de soi et de valoriser les qualités que l'on possède depuis l'enfance, en se rappelant que mûrir ne signifie pas abandonner son essence la plus pure, mais la laisser grandir avec soi. Vous aurez la possibilité de trouver un emploi plus proche de vos intérêts et qui stimule votre vie à bien des égards, en dehors de l'aspect économique.

Prévisions pour Taureau

L'année 2024 sera également chanceuse sur le plan matériel, mais vous devrez travailler dur pour obtenir tout ce que vous désirez.

Vous aurez beaucoup de prospérité économique et de joie intérieure. Vous devez être prêt à recevoir une protection dans le domaine économique, la prospérité entrera dans votre vie de telle sorte que les inconvénients matériels disparaîtront. Vous commencerez une nouvelle vie et vous atteindrez aussi l'abondance spirituelle.

Il peut y avoir des difficultés à résoudre les problèmes, il faut donc avoir confiance en soi, car tout sera une épreuve que l'on pourra surmonter.

Votre ange vous conseille de rester à l'écart des situations conflictuelles et d'essayer de neutraliser les critiques de vos collègues de travail.

Maintenez votre discipline, sans négliger la recherche d'un emploi offrant de meilleures conditions et un environnement plus sain. Vous terminerez l'année avec plusieurs propositions sur la table, n'oubliez pas de demander l'éclairage divin pour prendre les meilleures décisions.

Prévisions pour les Gémeaux

L'amour et la sécurité sont au rendez-vous cette année. Vous aurez un partenaire stable et heureux.

Amour et joie. La lumière de l'amour entre dans votre vie, il vous suffit d'être patient. Profitez de la stabilité et du bonheur qui s'annoncent et que vous devez accueillir à bras ouverts. Laissez tomber les sentiments de solitude et recevez l'amour pur qui vous attend. Vos rêves sont sur le point de se réaliser. Peut-être que vos souhaits ne se réaliseront pas exactement comme vous le souhaitiez, mais la récompense sera exactement ce que vous espériez.

Votre ange vous met en garde contre des situations qui pourraient s'aggraver si vous n'y prêtez pas attention. Prêtez une attention particulière aux problèmes ou troubles abdominaux, qui peuvent également concerner les organes reproducteurs. Une attention opportune préservera votre bonne santé.

Après une période au cours de laquelle vos finances ont fluctué, vous retrouverez la stabilité cette année.

Prévisions concernant le cancer

Vous souvenez-vous de la magie du monde qui vous entourait pendant votre enfance ? Les Anges te demandent de retrouver ce sentiment de magie en te rappelant les merveilleux pouvoirs qui t'entourent. Les Anges veulent vraiment te soutenir, t'aider à te débarrasser des angoisses inutiles pour rayonner de joie et de spontanéité comme un enfant.

Vous protégerez votre liberté avant toute autre valeur, malgré les critiques des autres ou les éventuelles disputes qui pourraient survenir.

Il se peut que vous vous sentiez plus à l'aise seul que dans des entreprises qui ne vous permettent pas de vous développer. Les voyages et les longues conversations avec des amis peuvent vous donner le feu vert pour changer de partenaire ou repenser les termes de votre relation.

Ce sera une année de test, car seuls ceux qui comprennent la vie librement resteront, tandis que ceux qui ne la comprennent pas prendront certainement des chemins différents.

Prévisions pour le lion

Vous n'êtes pas seul, les Anges Gardiens veulent vous dire qu'ils ne vous abandonneront jamais. Rien de ce que vous pensez, dites ou faites ne peut repousser vos accompagnateurs divins.

Restez calme dans les situations de la vie quotidienne, car vous pourriez continuer à souffrir d'insomnie cette année. N'essayez pas de faire face à plus que ce que vos forces peuvent supporter et vous verrez des changements positifs dans votre santé physique et mentale.

Votre économie connaîtra de grands changements au cours de l'année 2024. Vous devriez vous tenir à l'écart des personnes dont l'attitude vous prive d'énergie au lieu de vous en donner. Ne craignez pas la nouveauté ; rappelez-vous que votre ange sera prêt à vous aider à trouver un nouvel emploi de façon excellente et rapide.

Votre ange vous conseille de vous concentrer sur le travail et de mettre de côté la compétitivité de votre signe, car toute cette énergie débouchera sur des chefs-d'œuvre, à condition que vous vous concentriez.

Votre éclat personnel sera indéniable, vos possibilités sentimentales se multiplieront, c'est pourquoi vos anges vous conseillent de rester prudent et d'éviter les tentations afin de concentrer vos énergies sur le bon chemin.

Prévisions pour la Vierge

Cette année, vous devriez choisir une profession qui vous plaît. Les anges vous aideront à trouver ces talents en vous.

Soyez prêt à faire face à des événements inexplicables et profitez de toutes les opportunités. Les Anges Sages vous suggèrent de vous débarrasser des habitudes qui vous empêchent d'avancer. Faites des choses différentes et observez votre vie avec intérêt. Si le chemin à parcourir est compliqué, agissez comme si vous exploriez un lieu inconnu. Les Anges vous incitent à aller de l'avant dans l'attente et l'espoir.

Vous aurez l'occasion de créer votre propre destin sentimental, en mettant de côté vos doutes et en prenant quelques risques supplémentaires.

Prenez des précautions, car un encouragement ou une récompense fera que beaucoup de gens envieront vos triomphes. Votre ange vous conseille de renforcer votre estime de soi et de reconnaître que vous êtes un être doué qui mérite le meilleur de ce que l'univers peut vous donner.

Si vous avez un partenaire stable, la fin de l'année sera une période très favorable pour poursuivre les engagements visant à unir les groupes familiaux et à les réorganiser. Les grands investissements soutenus par votre partenaire auront des résultats positifs.

Prévisions pour la Balance

L'année 2024 est très importante pour vous. Vous devez méditer plus souvent. Pour cela, lorsque vous vous réveillez le matin, restez au lit pendant les cinq premières minutes, les yeux fermés et respirez profondément. Parlez-leur et écoutez ensuite attentivement le message qui vous sera envoyé.

Les Anges vous disent de vous éloigner de toutes les activités qui ne reflètent pas vos intentions.

Toutes les questions relatives au travail, aux relations et à la santé seront résolues avec un succès surprenant. Les anges vous guident constamment vers des actions qui corrigeront toute situation négative.

Votre ange vous montrera le chemin de la réconciliation avec ceux que vous avez laissés derrière vous et vous rappellera qu'il n'est pas bon de se séparer de ceux qui vous ont montré une loyauté constante.

Des allergies et des problèmes de gorge peuvent survenir.

Votre ange activera votre vie sociale de manière inimaginable. Gardez un rythme détendu et évitez les exercices fatigants.

Prévisions pour le Scorpion

Cette année 2024, vous devez faire confiance à votre intuition. C'est ce que les Anges vous disent. Les sensations intuitives que tu éprouves, les visions, la voix intérieure, sont autant de tentatives pour te dire quelque chose d'important ; tu dois donc te fier à ces directives et les suivre.

Rappelez-vous que lorsqu'on vous demande d'attendre, cela signifie que quelque chose de mieux que ce que vous pouvez imaginer est préparé juste pour vous. C'est pourquoi vous devez changer d'attitude et accepter la situation. Détendez-vous.

Demandez à votre Ange de vous soutenir tout au long de l'année afin que vous puissiez écouter les conseils divins. Ne vous précipitez pas lorsque vous voyez quelque chose qui pourrait briser votre volonté.

La porte suivante s'ouvrira le moment venu et vous reprendrez des forces.

Les anges vous aideront à satisfaire vos besoins romantiques. Demandez-leur de l'aide et acceptez-la. Les anges vous aideront à trouver l'amour de votre vie, ils vous guideront, vous montreront le chemin pour réaliser vos désirs.

Par exemple, vous pouvez ressentir un fort désir d'aller à un certain endroit. Vous y rencontrerez une personne avec laquelle vous aurez une relation amoureuse.

Les Anges souhaitent également que vous amélioriez votre éducation.

Prévisions pour le Sagittaire

Un nouveau chapitre de votre vie s'ouvre. Vous aurez un nouveau partenaire ou une ancienne relation sera rétablie. Ouvrez votre cœur à ce nouveau sentiment d'amour qui vous envahit.

Regardez bien les personnes que vous rencontrez sur votre chemin, soyez ouvert aux changements dans les relations existantes et ne vous accrochez pas trop à vos vieilles idées à leur sujet. Le moment est venu d'apporter de merveilleux changements dans votre vie, alors faites confiance aux Anges.

Certains changements dans votre vie peuvent être douloureux si vous ne faites pas preuve de suffisamment de souplesse dans vos pensées et vos actions. Si vous avez un nouvel amour, n'oubliez pas que le passé doit rester dans le passé, loin du nouveau bonheur.

Votre relation actuelle pourrait se terminer ou, au contraire, entrer dans une nouvelle phase d'amour renouvelé, les Anges vous demandent de leur faire confiance et de suivre leurs instructions.

Si tu as déjà une relation étroite avec quelqu'un, les Anges te demandent de lui donner une chance et de décider ce qu'il faut en faire, en essayant de la développer à un niveau supérieur ou d'y mettre fin pour faire place à un nouvel amour. Dans les deux cas, les Anges seront à vos côtés pour vous aider à choisir le bon chemin !

Prévisions pour le Capricorne

Le moment est venu de vous instruire. Les Anges vous conseillent de ne pas économiser vos forces ou votre temps pour cette activité, mais de lire, d'écouter et de vous développer.

Au cours de cette année, il est très important que vous vous consacriez à l'acquisition de nouvelles connaissances, idées et compétences. Il se peut que vous souhaitiez commencer à apprendre et, si vous étudiez, les Anges vous demandent de poursuivre votre éducation.

Parfois, au cours du processus d'acquisition de nouvelles connaissances et compétences, nous avons le désir de les tester rapidement dans la pratique, ce qui conduit de nombreuses personnes à quitter l'école prématurément. Poursuivez votre formation.

Le développement personnel qui accompagne l'apprentissage peut vous apporter de la joie si vous vous rappelez que vos pensées doivent rester ici et maintenant.

Demandez à vos anges de vous aider à vous débarrasser de la peur de la pauvreté afin que vous puissiez profiter pleinement de la croissance de l'abondance. Les anges signalent l'arrivée de l'abondance dans votre vie. Dans votre vie. Continuez à croire, cela vous apportera un soutien matériel, émotionnel, spirituel et intellectuel constant.

Prévisions pour le Verseau

Cette année, détendez-vous, donnez aux Anges la possibilité de vous aider. Tout ce que vous abandonnez sera remplacé par quelque chose de meilleur.

Vous vous obstinez et cela n'est pas bon pour vous et ne permet pas au bonheur et à la santé d'entrer dans votre vie.

Si vous êtes malheureux en amour, si vous ne progressez pas dans votre carrière, si vous avez des problèmes familiaux ou financiers, ainsi que des maladies, laissez les Anges régler la situation.

Si vous persistez dans les aspects négatifs de votre vie et craignez que les choses ne s'aggravent, elles s'aggraveront. En revanche, si vous êtes prêt à vous libérer de la situation qui vous oppresse, la situation actuelle s'améliorera merveilleusement.

Les Anges vous demandent de ne pas essayer de contrôler l'issue de votre situation négative actuelle. Laissez-vous aller.

Les Anges confirment qu'à travers vos sentiments, rêves, visions et intuitions, vous les écoutez vraiment et qu'il ne s'agit pas d'hallucinations. Si vous avez soudain le désir de téléphoner à quelqu'un, d'aller quelque part, de lire quelque chose, il est important que vous suiviez ces impulsions intérieures, les Anges vous demandent d'abandonner tout doute sur la guidance divine.

Prévisions pour les Poissons

Les Anges connaissent vos déceptions passées qui ont miné votre foi en vous-même, dans les autres et même dans les Anges, mais ils vous rappellent l'importance de préserver votre foi.

Les Anges savent que, comme tout le monde, tu as commis des erreurs dans le passé. Mais ces erreurs ne changent rien à ta vraie nature. Il y a en vous une partie de la nature divine qui est infaillible. Les Anges vous demandent de croire en vous-mêmes. Essayez de faire en sorte que vos pensées et vos sentiments reflètent vos véritables intentions.

Les Anges vous demandent de bien choisir vos objectifs et de les réaliser avec amour. Visualise-toi parmi d'autres personnes qui sont heureuses, qui réussissent et qui sont en paix. En gardant vos intentions hautement spirituelles, vous vous aidez vous-même et aidez les autres. Les Anges te demandent de remplacer les habitudes de pensée négatives par des habitudes positives, alors demande-leur de t'aider.

Porte-bonheur par signe du zodiaque

 Qui n'a pas une bague porte-bonheur, un collier qui ne s'enlève jamais ou un objet qu'il n'échangerait pour rien au monde ? Nous attribuons tous un pouvoir particulier à certains objets qui nous appartiennent, et ce caractère spécial qu'ils revêtent pour nous en fait des objets magiques. Pour qu'un talisman puisse agir et influencer les circonstances, le porteur doit avoir foi en lui, ce qui le transformera en un objet prodigieux capable de faire tout ce qu'on lui demande.

Au sens courant, une amulette est tout objet qui conduit au bien, comme mesure préventive contre le mal, les préjugés, les maladies et la sorcellerie.

Les amulettes porte-bonheur peuvent vous aider à avoir une année 2024 bénie à la maison, au travail, dans la famille, et à attirer l'argent et la bonne santé. Pour que les amulettes fonctionnent correctement, vous ne devez les prêter à personne et vous devez les garder à portée de main en permanence.

Les amulettes ont existé dans toutes les cultures et sont fabriquées à partir d'éléments de la nature qui agissent comme des catalyseurs d'énergies qui aident à créer des désirs humains.

On attribue à l'amulette le pouvoir d'éloigner le mal, les sorts, les maladies, les catastrophes ou de contrer les mauvais présages jetés par les yeux d'autrui.

Amulette pour Bélier.

Dragon

Il est porteur d'énergie, de lumière, de prospérité, de chance et de protection. Dans presque toutes les traditions, mythes et fables chinoises, le dragon est un emblème de fermeté, de ténacité, d'abondance et de magie.

L'utiliser comme amulette ou talisman vous aidera à avoir de la chance. Sa présence dans la maison rendra les espaces plus harmonieux et l'énergie circulera.

Le dragon est le gardien du divin, le protecteur de notre maison.

Une maison protégée par un dragon, selon lui, est un espace protégé et plein de chance.

Amulette pour le Taureau

Fleur de Lis.

C'est un symbole utilisé dans la franc-maçonnerie, l'alchimie et d'autres religions. Il symbolise la naïveté, la dignité et la virginité.

C'est une amulette qui ouvre la voie, source de nouvelles opportunités de bien-être.

La fleur de lis est une représentation qui n'existe pas dans la nature, mais qui est basée sur l'image d'un lys. Elle évoque les idées de royauté et d'illumination.

La base est constituée d'un triangle évoquant l'eau et d'une croix symbolisant la réalisation spirituelle, complétée par deux feuilles symétriques enroulées autour d'une branche horizontale.

Il représente la sagesse, le courage et la prospérité.

La fleur de lys, qui symbolise la pureté et la divinité, peut nous rappeler notre lien avec le divin et le pouvoir de la foi pour transformer et guérir nos vies.

Il vous aidera à gérer vos émotions et vos conflits intérieurs, à nettoyer votre cœur des énergies négatives et à favoriser l'équilibre émotionnel.

Amulette pour les Gémeaux
L'archange Michel.

L'archange Michel est le plus célèbre des archanges. Il est le plus invoqué et celui à qui la plupart des gens demandent de l'aide. C'est parce qu'il est un guerrier spirituel. Vous devriez utiliser une image de saint Michel pour invoquer ses bénédictions et pour obtenir force et protection contre les forces du mal.

Cet archange vous aidera également à trouver le but de votre vie. L'invoquer lorsque vous avez besoin d'aide vous donnera le courage et la détermination dont vous avez besoin. Lorsque vous l'invoquez dans les moments de découragement, il vous aidera à retrouver votre calme.

Lorsque vous vous adressez à lui, il intervient et se bat pour vous afin de vous libérer de la négativité.

Amulette pour le cancer

La croix égyptienne Ankh.

La *croix égyptienne, l'une des amulettes les plus anciennes et les plus importantes de l'Égypte ancienne, représente la vie et l'immortalité.*

Un talisman qui vous apportera force, abondance et protection contre la malchance. On pense que les Égyptiens l'utilisaient comme amulette de santé. Il s'agissait d'une amulette portée durant la vie et emportée dans la tombe.

Il possède des propriétés magiques et est également connu sous le nom de "clé égyptienne de la sagesse". Il a le pouvoir d'aider les gens à comprendre tous les secrets de l'univers.

Cette amulette protectrice est un répulsif contre le mal et les énergies négatives.

Amulette du lion

Licorne.

La licorne symbolise l'espoir de guérison et la force que nous recherchons tous. La licorne peut être utilisée pour amplifier vos dons psychiques.

La licorne représente la pureté, l'amour inconditionnel et la magie. Cette créature mythologique a longtemps été vénérée pour sa force divine et pour être une source d'énergie qui nous permet de nous connecter au monde spirituel. La présence de la licorne dans votre vie vous rappellera que la magie et l'amour sont toujours présents et que vous êtes fort. C'est un animal qui attire la chance et la justice. Symbole de pureté, elle vous protège et vous préserve de tout mal.

Amulette pour la Vierge.

Croix celtique.

La croix celtique symbolise le désir de découvrir et d'expérimenter les mystères de la vie et est une boussole qui vous guidera dans votre voyage spirituel.

C'est le reflet de l'espoir des Celtes et l'une des pièces celtiques les plus symboliques et les plus puissantes en matière de magie. Il représente la connaissance, la force, la compassion et l'amour infini.

Le mystique, le divin et le sacré s'harmonisent dans ce symbole, utilisé dans de nombreuses civilisations comme amulette. C'est un puissant porte-bonheur. Il est protecteur et si vous le portez, vous aurez la paix, l'harmonie, l'équilibre et la sagesse.

Amulette pour la Balance.

L'œil d'Horus

C'est *un talisman qui protège son porteur des maladies, des dangers et du mauvais œil.*

L'œil d'Horus symbolise la santé, la prospérité et la capacité de renaître. C'est un bouclier protecteur contre le malheur et les énergies toxiques qui se présentent à nous.

Il permet également à la prospérité et au bonheur d'entrer et d'annuler toute obscurité ou malédiction.

Outre ses vertus protectrices, il contient tous les symboles mathématiques utilisés par les anciens Égyptiens pour représenter les fractions.

C'est une amulette très positive qui peut être utilisée pour se protéger du mal et pour attirer les énergies positives dans son espace personnel. Elle nettoie le corps de la toxicité et des énergies négatives et aide à trouver la paix intérieure.

Il équilibre et répare ce qui est cassé ou affaibli, en d'autres termes, il augmente le bien-être. C'est un symbole de renouveau qui est utilisé pour améliorer la santé physique et mentale.

Il représente la force de l'éternel, qui ne change pas avec le temps. Il vous aidera à atteindre une position et une stabilité, donnant de la fermeté à vos objectifs. Elle apporte force, courage et sagesse.

Amulette pour le Scorpion

Trèfle

L'une des amulettes les plus puissantes, ce type de plante se voit attribuer des pouvoirs magiques depuis des siècles. Sa popularité remonte à la culture celtique, mais c'est un symbole populaire de chance dans de nombreuses cultures. Les Égyptiens portaient des amulettes en forme de trèfle pour se protéger des malheurs, des dangers, des catastrophes et de la malchance. Selon la légende, chaque feuille a une signification. La première est la gloire, la deuxième la richesse, la troisième l'amour et la quatrième la santé.

Il est lié à la chance car il est utilisé pour obtenir de l'argent.

En tant qu'amulette de protection, elle éloigne les esprits et les mauvais regards de votre vie.

La plante étant difficile à obtenir, son design peut être capturé de différentes manières. L'une des plus simples est le bijou.

Amulette pour le Sagittaire

Cheval

Les chevaux sont considérés comme des symboles de richesse. Dans l'Antiquité, les chevaux étaient offerts aux empereurs et aux rois comme symbole de triomphe et de réussite.

Les chevaux sont synonymes de puissance, de force et de courage. Ils sont un symbole de vitesse, de courage et de persévérance.

Elles sont associées à l'élément Feu et représentent la gloire, la liberté et la réalisation d'objectifs qui requièrent leur force énergétique.

Vous pouvez placer des ornements avec la figure d'un cheval, ou plusieurs, dans votre salon, votre bureau ou, si vous travaillez à la maison, sur votre bureau. Comme il est considéré comme une amulette qui attire le succès et la chance, il doit être près de vous.

Amulette pour Capricorne

L'épée

Cette amulette chasse les énergies négatives et protège des ennemis. Elle est utilisée contre l'envie et le mauvais œil, car elle a le grand pouvoir de protéger contre tous les maux que les envieux nous souhaitent.

Il absorbe les énergies négatives, de sorte que si vous le portez, votre santé sera entre de bonnes mains. En plus d'éloigner la négativité, on pense qu'il apporte bien-être et amour.

Il vous protégera également de la magie noire.

Amulette pour l'Verseau

Croix de Caravaca

C'est l'une des plus anciennes amulettes et celle qui offre le plus de protection. Son symbolisme est très profond et réside dans son histoire, son apparence et sa forme. Cette croix projette un puissant pouvoir protecteur, c'est pourquoi elle sert à vous protéger des énergies négatives qui vous entourent.

Son pouvoir est devenu un élément clé des rituels d'exorcisme, car seule sa présence permet d'expulser toute entité obscure.

Cette amulette protégera votre économie en vous apportant la prospérité, vous pouvez l'utiliser pour reconquérir votre partenaire, améliorer votre travail et elle vous aidera à équilibrer votre vie en attirant la chance.

Amulette des Poissons

Fer à cheval.

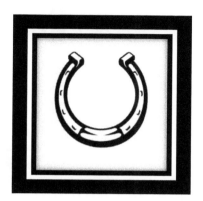

L'une des plus anciennes amulettes de l'histoire, c'est un symbole magique et un talisman.

Depuis la Grèce antique, les fers à cheval sont considérés comme de puissantes amulettes destinées à éloigner le mal et à porter chance. Leur forme, qui rappelle celle du croissant de lune, symbolise la fertilité et la prospérité.

Si vous voulez qu'il vous porte chance, tournez-le à l'envers, mais si vous cherchez à vous protéger, tournez-le à l'endroit. Son pouvoir est de dissiper les doutes et d'attirer la chance.

Voiles

Depuis l'Antiquité, les bougies sont utilisées non seulement comme décoration, mais aussi dans les rituels de magie et de sorcellerie. Cela s'explique par le pouvoir de transformation qui a toujours été attribué au feu. Les bougies sont des symboles d'énergie, de protection et de pouvoir.

Les formes et les couleurs des bougies ont des fonctions différentes. Il est important de ne jamais éteindre les bougies, car cela annulerait le sort ou le rituel.

- La formation de figures, telles que des grappes de raisin, annonce la santé et la prospérité.

- Si les fragments de la bougie entière ont la forme d'une lune et que les pointes de la lune sont inclinées vers la gauche, cela indique que vous pourrez atteindre votre but sans problème. Si les pointes de la figure sont inclinées vers la droite, cela annonce l'existence d'un obstacle au rituel.

- Si les restes des bougies forment des carrés, les difficultés seront résolues, vous bénéficierez d'un soutien inconditionnel et le sort fonctionnera.

Couleurs des bougies pour les rituels

La couleur de la bougie que nous utilisons dans nos rituels est importante. Toutes les couleurs ont une vibration et influencent donc un certain domaine de notre vie.

Il est essentiel de savoir ce que vous voulez transformer dans votre vie ou quel type de rituel vous voulez faire, afin de choisir la bougie adéquate.

Jaune : *par nature, c'est la couleur de l'intelligence. Une bougie jaune est utilisée pour stimuler les forces de l'esprit. Dans les rituels qui visent à apporter de la joie à quelqu'un ou à quelque chose. C'est la couleur du soleil, de la vitalité et de la joie de vivre. C'est une bougie utilisée dans les situations de tristesse. Elle est utilisée pour adoucir les comportements moroses. Pour les rituels liés au travail, aux études et à l'amour.*

Orange : *contient l'énergie du rouge et du jaune. Il est idéal pour attirer l'harmonie, l'argent et la joie. Il nous aide à prendre des décisions. L'orange a une énergie dynamique, elle sera donc très utile pour améliorer tout rituel que vous faites.*

Bleu *: Spectaculaire pour éliminer les tensions, les conflits ou toute situation difficile entre les personnes. Pour se connecter au monde spirituel, pour les rituels d'amour et de travail.*

Blanc et or *: ces bougies sont utiles pour attirer les énergies positives. Elles remplacent les autres bougies, en particulier les bougies blanches, car elles contiennent toutes les couleurs. La plupart des rituels peuvent être réalisés exclusivement avec des bougies blanches.*

Rouge : il est le *plus souvent utilisé dans les sorts d'amour, car il représente la couleur du sang et du cœur, mais il est également utilisé dans les sorts liés à la santé et à la force physique. Il sert de catalyseur pour activer toute énergie stagnante.*

Rose : *sa vibration est plus élevée que celle du rouge car il est mélangé au blanc. Il représente l'amour pur et la romance. C'est la couleur de la compassion et de l'empathie.*

Vert : *couleur de la fertilité. Il attire l'équilibre de l'âme, du corps et de l'esprit. C'est une couleur* associée à la santé et peut être utilisée pour résoudre des maladies. Très utile dans les rituels ou cérémonies liés aux finances ou à la prospérité.

Violet et pourpre : le résultat du mélange du rouge et du bleu. Pour les rituels liés aux finances et au succès.

Argent et gris : ce sont des couleurs neutres, entre le noir et le blanc. Elles sont utilisées pour neutraliser le mal. Les bougies argentées sont liées à l'énergie de la nuit et de la lune, c'est pourquoi elles sont utilisées dans les rituels ou les cérémonies nocturnes, car elles sont liées à cette énergie.

Marron : cette couleur est liée à la terre, surtout lorsqu'elle n'est pas encore ensemencée. Il faut être prudent dans son utilisation car elle peut attirer l'incertitude ; il faut donc bien préciser ce que l'on veut pour ne pas obtenir l'effet contraire à la demande. Il est utilisé dans les rituels d'affaires.

Noir : utilisé dans les rites nécromantiques pour invoquer les entités négatives. Aide à dissoudre les obstacles. Aide à dissoudre les dettes karmiques et à se libérer de la sorcellerie et de la magie noire.

Consécration de la bougie

Dans les rituels de magie, il est important de consacrer les bougies avec des huiles pour attirer plus d'énergie ; cette onction est une partie fondamentale du processus. Pendant la consécration, il faut se concentrer sur le but du rituel et le faire le jour approprié d'un point de vue astrologique.

Les procédures sont les suivantes :

Avec les doigts de la main droite, étalez quelques gouttes d'huile sur la bougie, du centre vers la mèche, en essayant de la maintenir humide. Répétez ensuite la même opération, mais du centre vers la base de la bougie. L'autre forme de consécration consiste à répandre l'huile sur la bougie du bas vers le haut. Ce type d'onction est réservé exclusivement aux rituels de rupture. Le troisième et dernier type de consécration consiste à oindre la bougie que nous utiliserons dans notre rituel du haut vers le bas. Ce type de consécration est exclusif aux bougies destinées aux rituels d'attraction.

Quartz chanceux pour chaque signe du zodiaque en 2024

Nous sommes tous attirés par les diamants, les rubis, les émeraudes et les saphirs, qui sont évidemment des pierres précieuses. Les pierres semi-précieuses, telles que la cornaline, l'œil de tigre, le quartz blanc et le lapis-lazuli, sont également très appréciées, car elles sont utilisées comme ornements et symboles de pouvoir depuis des millénaires.

Ce que beaucoup ignorent, c'est qu'ils étaient appréciés pour plus que leur beauté : chacun d'entre eux avait une signification sacrée et leurs propriétés curatives étaient aussi importantes que leur valeur ornementale.

Les cristaux ont toujours les mêmes propriétés aujourd'hui ; la plupart des gens connaissent les plus populaires comme l'améthyste, la malachite et l'obsidienne, mais de nouveaux cristaux comme le lari mar., la petalita et la fenacita sont également connus.

Un cristal est un corps solide de forme géométriquement régulière ; les cristaux se sont formés lors de la création de la Terre et ont continué à se métamorphoser au fur et à mesure de l'évolution de la planète ; les cristaux sont l'ADN de la Terre, ce sont des entrepôts miniatures qui contiennent le développement de notre planète sur des millions d'années.

Certains ont été pliés sous des pressions extraordinaires, d'autres ont poussé dans des chambres enfouies sous terre, d'autres encore ont été créés par égouttement. Quelle que soit leur forme, leur structure cristalline peut absorber, stocker, concentrer et émettre de l'énergie.

Le cœur du cristal est l'atome, avec ses électrons et ses protons. L'atome est dynamique et se compose d'une série de particules tournant autour du centre en mouvement constant ; par conséquent, bien que le cristal semble immobile, il s'agit en fait d'une masse moléculaire vivante qui vibre à une certaine fréquence et c'est ce qui donne au cristal son énergie.

Les pierres précieuses étaient une prérogative royale et sacerdotale. Les prêtres du judaïsme portaient un pectoral rempli de pierres précieuses qui était bien plus qu'un emblème désignant leur fonction, car il transférait le pouvoir à celui qui le portait.

Les pierres sont utilisées par l'homme depuis l'âge de pierre, car elles ont une fonction protectrice, éloignant les différents maux de celui qui les porte. Aujourd'hui, les cristaux ont le même pouvoir et nous pouvons choisir nos bijoux non seulement en fonction de leur attrait extérieur, mais aussi parce que leur présence près de nous peut accroître notre énergie *(cornaline orange), purifier l'espace qui nous entoure (ambre) ou attirer la richesse (citrine).*

Certains cristaux, comme le quartz fumé et la tourmaline noire, ont la capacité d'absorber la négativité et d'émettre une énergie pure et propre.

Le port d'une tourmaline noire autour du cou protège contre les émanations électromagnétiques, y compris celles des téléphones portables. Une citrine n'attire pas seulement la richesse, elle aide aussi à la préserver. Placez-la dans la partie la plus riche de la maison (l'arrière du côté gauche, le plus éloigné de la porte d'entrée).

Si vous cherchez l'amour, les cristaux peuvent vous aider. Placez un quartz rose dans le coin relation de votre maison (le coin droit le plus éloigné de la porte d'entrée) et son effet sera si puissant que vous voudrez peut-être ajouter une améthyste pour compenser l'attraction.

Vous pouvez également utiliser la rhodochrosite et l'amour viendra.

Les cristaux peuvent guérir et donner de l'équilibre, certains cristaux contiennent des minéraux connus pour leurs propriétés thérapeutiques, la malachite a une forte concentration de cuivre, porter un bracelet en malachite permet au corps d'absorber d'infimes quantités de cuivre.

Le lapis-lazuli soulage les migraines, mais si le mal de tête est causé par le stress, l'améthyste, l'ambre ou la turquoise placées au-dessus des sourcils aideront.

Le quartz et les minéraux sont des joyaux de la terre mère, donnez-vous la chance de vous connecter à la magie qu'ils dégagent.

Quartz porte-bonheur Bélier

Le rubis est la pierre associée à ce signe. Les Béliers qui portent cette pierre peuvent bénéficier d'une bonne circulation sanguine.

Le rubis est synonyme de succès et de richesse, mais aussi de courage, d'encouragement et de loyauté. En Birmanie, où cette pierre est originaire, on pense qu'elle attire les amis et le bonheur.

Pour les Japonais et les Chinois, elle apporte santé et longévité, régule les passions, chasse les mauvaises pensées et garantit la paix et la santé. Les autres pierres associées au Bélier sont le jaspe rouge et l'agate de feu.

Quartz porte-bonheur pour le Taureau

Le quartz fumé. C'est un symbole divin sur ce plan physique. Ce quartz mystique t'apportera beaucoup de lumière. C'est le quartz des médiums, des spirites et des alchimistes, car il décompose tout ce qui est négatif. Il est associé sur le plan psychique, il est le plus primitif du monde et c'est un oracle.

Il protège contre les énergies les plus néfastes, telles que l'envie, la colère et les pensées destructrices.

C'est le guérisseur énergétique le plus efficace de la planète, il évapore, améliore, protège et façonne l'énergie et la débloque miraculeusement. Il transforme l'énergie en l'état le plus pur possible.

Quartz porte-bonheur Gémeaux

Quartz blanc ou cristal de roche.

Récepteur d'énergie par excellence, amplificateur de vibrations positives à tous les niveaux. Il favorise la concentration mentale et renforce ou améliore les autres quartz. C'est le plus utilisé en thérapeutique.

Il symbolise le bonheur et est parfois utilisé pour honorer une naissance ou pour offrir la paix après la mort. Sa fonction principale est d'apporter l'équilibre et la paix en mobilisant ou en désactivant les énergies.

Elle vous aidera à résister aux moments difficiles, aux pensées négatives comme la culpabilité ou aux problèmes émotionnels. Elle protège également contre les peurs et les angoisses. Ses propriétés curatives améliorent la cognition et augmentent la vivacité d'esprit. Elle aide à se souvenir plus rapidement et à apprendre, car elle accroît les connaissances et la capacité d'écoute.

Avec ce cristal, vous deviendrez patient.

Quartz porte-bonheur Cancer

Onyx

Quartz protecteur qui purifie l'aura. Selon la légende, cette pierre est apparue lorsque Vénus était endormie et que Cupidon s'est coupé les ongles, qui sont tombés au sol et se sont transmutés en belles pierres qui ont été baptisées Onyx.

En période de stress, elle vous aidera à prendre des décisions judicieuses et à atteindre vos objectifs professionnels si vous l'utilisez comme amulette.

C'est une pierre puissante dont les bienfaits psychologiques en font un choix admirable pour soutenir les personnes souffrant d'anxiété. Ses propriétés vous mettront en contact avec vos guides spirituels et vous permettront de voir les choses plus clairement.

Quartz porte-bonheur lion

Cornaline

Quartz positif pour ceux qui rencontrent des difficultés de concentration, sont mentalement aliénés ou compliqués dans la vie. Il donne du courage et de la protection. Il convient aux personnes mélancoliques.

Elle est utilisée comme talisman dans les maisons et les entreprises pour se protéger du mauvais œil et de l'envie. Elle est liée à l'énergie de l'autorité et de la passion.

Il est recommandé pour la réussite professionnelle, pour rassurer les doutes et pour donner de la clarté mentale lors de la prise de décisions professionnelles.

Pour ceux qui rencontrent des difficultés à parler en public, la cornaline les aide à trouver le courage d'affronter cet obstacle. Elle est recommandée pour ceux qui ont des problèmes de nervosité, car la projection énergétique du quartz les aide à s'endormir et à se calmer, favorisant le repos physique et mental.

Quartz porte-bonheur Vierge

Gada

Elle agit comme une énergie protectrice là où elle se trouve. Il est associé à la stabilité et à la sécurité. Il est bon de garder ce quartz dans un endroit précis, car il peut provoquer des discordes avec des amis ou des collègues s'il est porté.

Il aide à penser positivement, symbolise la paix et l'introspection. Ce quartz vous donnera toute la force dont vous avez besoin pour aller de l'avant. C'est une pierre qui vous aidera à libérer toutes les émotions qui vous bloquent et à voir la vie à travers une lentille positive. Il favorise le bon fonctionnement des reins, du cœur et de l'estomac.

Il existe différentes couleurs de jade : le jade bleu et le jade vert sont synonymes de paix et de réflexion. Le jade brun est lié à l'élément terre et à la productivité. Le jade vert accélère le système nerveux, nous amenant à un état de paix dans lequel nous pouvons éliminer les sentiments négatifs que nous éprouvons. Le jade orange aide à gérer les émotions, tandis que le jade rouge aide à canaliser les tensions et à résoudre les problèmes en harmonie. Le jade blanc est une aide parfaite pour prendre des décisions et savoir quelle est la meilleure direction à prendre. Le jade jaune nous apporte de la joie et nous aide à établir des relations avec les autres.

Quartz porte-bonheur Balance

Quartz rose

Il renforce l'estime de soi. Il est utilisé pour les enfants qui ont besoin d'amour pour stabiliser leurs centres énergétiques.

Il est utilisé pour attirer l'amour et fonctionne comme un outil pour équilibrer le côté émotionnel avec le rythme cardiaque.

C'est le complément nécessaire à votre cheminement spirituel, un quartz au pouvoir extraordinaire qui peut améliorer votre santé.

Ce quartz est réputé pour sa force et pour être l'une des pierres les plus efficaces pour la guérison.

Il a la capacité d'absorber les énergies négatives et de les remplacer par des énergies positives, grâce à ses vibrations.

Ces énergies sont responsables de l'ouverture du chakra du cœur.

Quartz chanceux Scorpion 2024

Agrumes

Un quartz extrêmement magnétique. Il vous donnera un fort charisme personnel et vous aidera à être créatif.

Ses vibrations vous apporteront énergie, abondance et prospérité économique.

Si vous voulez accroître la prospérité dans votre vie, vous devriez placer l'agrume dans un endroit de votre maison ou de votre entreprise où vous interagissez avec le monde des affaires. Ses énergies augmenteront vos chances de réussite.

Il fonctionne comme un talisman défensif, capable de neutraliser tout type d'énergie négative.

Il apporte l'intuition pour se protéger correctement.

Il projette de la joie et des sentiments harmonieux à tous ceux qui l'entourent.

Il vous aidera à améliorer progressivement votre estime de soi et à trouver votre véritable identité. Il transformera votre système de valeurs pour que vous vous sentiez motivé.

Quartz porte-bonheur Sagittaire

Agate

Quartz au grand pouvoir énergétique. Il aide à augmenter l'estime de soi et à transformer les énergies négatives en énergies positives.

Il contribue à la stabilité émotionnelle, mentale et physique. Il est bon pour la migraine, soulage toutes sortes de maux physiques tels que les douleurs musculaires, articulaires et osseuses.

Elle est connue comme la pierre de la confiance. Elle vous apportera richesse et abondance dans tous les domaines de votre vie.

Il aide à développer la créativité et la confiance en soi. Il a également le pouvoir d'éloigner les malédictions.

Si vous le placez sous votre oreiller, vous n'aurez pas de problèmes de sommeil, d'insomnie, de stress nocturne ou d'anxiété.

Cela vous donnera une mentalité de calculateur.

Il fonctionne comme une amulette qui fait avancer les choses et apporte la prospérité dans un court laps de temps.

Pour bénéficier des qualités protectrices de ce quartz, il est nécessaire de l'avoir toujours sur soi.

Quartz porte-bonheur Capricorne

Fluorite

Il aide à gérer l'instabilité mentale et apporte de l'harmonie à la personne qui l'utilise.

Elle aide à la réconciliation et permet de voir clairement les vérités cachées derrière les masques.

Elle favorise également le bien-être intellectuel et émotionnel. Elle est utilisée pour traiter les rhumes, l'herpès et les ulcères.

C'est une pierre aux pouvoirs protecteurs, surtout au niveau spirituel. Elle purifie l'aura et empêche les manipulations.

Il est connu pour favoriser les facultés intuitives, rendre plus conscient des existences spirituelles supérieures et stimuler l'éveil spirituel.

Quartz porte-bonheur Verseau

Obsidienne

Un quartz protecteur puissant. Il consolide les énergies et fait ressortir tous les aspects sombres d'une personne. Augmente l'attirance pour le sexe opposé et favorise la paix.

C'est un quartz magique et divin. Connu sous le nom de velours noir, il est bon contre l'incertitude et les blocages mentaux, car il absorbe les énergies négatives.

Il vous donnera le pouvoir de réaliser vos doutes et vos idées noires, les questions que vous avez rejetées et que vous serez obligé de résoudre, et il le fera en silence.

Avec cette pierre, vous pourrez faire face à toutes les circonstances avec courage, elle éloignera toute négativité et agira comme un miroir dans lequel se refléteront vos insécurités.

Porte-bonheur quartz Poissons

Améthyste

C'est une pierre protectrice qui agit au niveau de l'intuition, développe le troisième œil et stimule la sagesse.

Il a le pouvoir de calmer la colère et de détruire les émotions négatives. Il défait le chaos mental et apporte la paix, c'est pourquoi il est utilisé pour générer un équilibre émotionnel. Il est utilisé pour réduire le stress et l'anxiété.

Elle peut également aider les personnes souffrantes à gérer les émotions fortes qui surviennent au cours de ce cycle.

Ce quartz calme les tempêtes émotionnelles et, dans les situations dangereuses, l'améthyste vient à la rescousse.

Elle donne du courage à celui qui la porte et constitue une amulette efficace.

Si vous le portez, vous serez protégé de la souffrance et du danger.

Introduction. Numérologie 2024

Il n'y a pas de hasard, il y a de la synchronicité. Nous naissons tous à un jour, un lieu, une date et une heure qui ne sont pas des caprices du destin. Nous apportons avec nous des missions spécifiques et des leçons de vies antérieures.

En utilisant la numérologie, nous aurons une plus grande autonomie et prendrons notre destin en main.

La numérologie est l'étude des nombres et de leur signification. C'est une discipline basée sur le concept que le nom, le jour, le mois et l'année de votre naissance contiennent des informations fondamentales sur vous. En analysant les valeurs numériques des lettres qui composent votre nom et votre prénom et les chiffres de votre date de naissance, vous pouvez découvrir des aspects importants de votre personnalité et de votre but dans la vie.

La numérologie est une ancienne tradition ésotérique utilisée par les mystiques et les philosophes depuis des milliers d'années en Chine, en Grèce, à Rome et en Égypte.

La numérologie est la correspondance entre les nombres et les événements et l'analyse de leur influence sur la vie. Nous pouvons utiliser la numérologie pour apprendre à nous connaître et explorer nos talents. La numérologie est si vaste qu'elle peut être utilisée pour obtenir des informations sur la santé, la carrière, les relations et les objectifs de vie.

On attribue à Pythagore le mérite d'avoir été le premier à maîtriser cet outil, ce qui explique qu'il soit considéré comme le père de la numérologie. Non seulement il a grandement contribué à l'avancement et au raffinement de la numérologie, mais il est également le créateur de nombreuses hypothèses mathématiques.

Numérologie 2024

*Selon la numérologie, 2024 ajoute le chiffre **8**.*

Ce nombre est lié à l'abondance, au pouvoir, à l'équilibre et à la justice.

En cette année 2024, nous devons réévaluer notre rapport à la prospérité. Nous devons être organisés, payer nos dettes financières et organiser notre vie de manière plus efficace. C'est une année où nous devons valoriser notre temps et nous concentrer sur ce qui est important.

Nous devons apprendre à vivre sans peur et essayer de guérir nos blessures au niveau subconscient.

Cette année vous donnera l'occasion de prospérer spirituellement et matériellement. Pour ce faire, vous devez augmenter votre niveau d'estime de soi.

Cette année sera riche en défis, mais n'oubliez pas que vous en tirerez des enseignements.

Les critiques et les soulèvements contre les abus, les tyrannies, la violence et les dictatures se multiplieront dans le monde entier.

Quelle est la signification spirituelle du nombre 2024 ?

Les significations des différents chiffres qui composent le nombre 2024 selon la numérologie sont les suivantes :
Le chiffre 2 symbolise la dualité, la famille, la vie privée et la vie sociale. Vous apprécierez la vie domestique et les réunions de famille.

Le chiffre 2 indique une personne sociable, amicale et empathique. C'est le chiffre de la coopération, de l'adaptabilité et de la considération pour les autres. Ce nombre symbolise l'équilibre, l'unité et l'affinité. C'est aussi un excellent médiateur, honnête et diplomate. Il représente l'intuition et la vulnérabilité.

Le chiffre 4 établit la stabilité et évoque le sens du devoir et de la discipline. Il évoque la construction d'une base solide. Ce chiffre apprend à évoluer dans le monde matériel et à développer l'esprit logique.

Le chiffre 0 : tout commence au degré zéro et se termine au point zéro. Parfois, nous ne connaissons pas la fin, mais nous connaissons le début, qui est le point zéro.

Les cartes du tarot selon la numérologie 2024

La Force.

La force est à la fois la carte 11 et la carte 8 du Tarot. Cette carte du Tarot symbolise la constance, la force et la ténacité pour survivre.

Cet arcane représente la capacité à surmonter les obstacles. Le pouvoir de l'intelligence sur la force. Il représente également la patience, l'intuition et la réconciliation des contraires.

D'un point de vue astrologique, l'arcane La Force du Tarot est lié au signe zodiacal du Lion et à la planète Mars.

Cette carte de tarot a deux perspectives numérologiques : elle est le numéro 11 dans le Tarot de Marseille, un numéro de maître, et le numéro 8 dans le Tarot de Rider Waite.

La force est le prototype de l'endurance. Toujours en contact avec son intuition et sa créativité, mais avec un talent surdéveloppé, de la vivacité, de la perception et de la subtilité.

La Force a la capacité de contrôler les instincts les plus essentiels pour atteindre ses objectifs. Elle n'abandonne jamais, elle ne s'éteint pas, elle résiste.

La Force atteint invariablement ses objectifs, surmontant toutes les difficultés avec perspicacité et astuce.

Cet arcane mettra à l'épreuve votre résistance, votre force d'âme, votre tolérance, vos limites et, si vous voulez vraiment changer quelque chose ou atteindre un objectif, vous devrez persévérer sans renoncer à essayer.
Cela signifie que pour atteindre vos objectifs, vous devrez cesser d'être impatient, bannir la peur et enterrer votre ego.

Si, l'année dernière, vous avez essayé d'atteindre un objectif et que vous avez échoué, c'est que vous n'avez pas utilisé les bonnes méthodes. Cette année, la Force vous demande donc non pas de changer d'objectif, mais de changer votre attitude et les méthodes qui ne vous conviennent pas.

Vous devez utiliser les énergies de la Force des arcanes pour vous remplir de courage et d'endurance. Vous devez être stoïque, audacieux et déterminé à surmonter vos peurs, et vous ne réussirez qu'avec de la discipline et de la persévérance.

Rien ne vous empêchera d'atteindre vos objectifs, mais vous ne devez pas être pressé et vous ne devez pas tourner le dos aux défis qui se présentent à vous.

C'est un arcane de pouvoir, vous ne devez pas être pressé, acceptez les défis et continuez avec patience. Vous avez le pouvoir et l'endurance nécessaires pour vaincre. Ne vous sentez pas coupable des choses qui sont hors de votre contrôle, concentrez-vous sur vous-même, sur votre moi intérieur. Vous devez vous perfectionner pour donner le meilleur de vous-même.

En amour, cette carte du tarot indique la fidélité et la stabilité des relations. Elle symbolise l'effort quotidien que chaque couple doit fournir pour maintenir une relation saine afin qu'elle devienne une union heureuse.

D'un point de vue matériel, cette carte du tarot annonce qu'une saison prospère s'annonce et que, si vous êtes astucieux, vous saurez maîtriser toutes les situations, même les plus difficiles. Vous recevrez toute la reconnaissance que vous méritez, vous serez récompensé. C'est l'année de la réalisation de vos rêves.

Votre capacité de travail augmentera, vous serez persévérant et capable de planifier et d'aller plus loin, toujours en pensant à l'avenir.

Cette carte du tarot annonce que votre santé sera bonne, car vous aurez beaucoup de vitalité. Vous devrez être discipliné dans votre bien-être, mais vous êtes sur la bonne voie, vous serez en très bonne santé.

*Cette carte du Tarot, **La Force,** vous rappelle que vous avez la capacité et la force intérieure d'atteindre tous les objectifs que vous vous fixez.*

Nombre de Trajectoire de vie ou de mission

Pour calculer votre chemin de vie ou numéro de mission, le chiffre qui indique vos compétences et aptitudes et vous donne des indices sur les opportunités de votre vie, vous devez additionner votre date de naissance, c'est-à-dire faire la somme de tous les chiffres de votre date de naissance.

Par exemple, si un homme nommé Juan Carlos Pau est né le 7 décembre 1965, son numéro de naissance est le 4.

La procédure est la suivante :

7 + 1 + 2 + 1 + 9 + 6 +5 = 31

Ce nombre est dérivé de la place numérique du mois dans l'année, qui est 12, de la date numérique du mois, qui est 7, et de la division numérique de l'année, qui est 1, 9, 6 et 5.

Comme 31 est un nombre composé, il est séparé et additionné :

3 + 1 = 4

Dans cet exemple, le nombre du chemin de vie de Juan Carlos est le 4, un nombre qui atteint ses objectifs grâce à une combinaison d'attitude tenace, de bon jugement et d'amour.

Signification du chiffre 1

Le chiffre un représente l'unité. Ces personnes se caractérisent par le désir de faire ce qu'elles veulent et d'imposer ces désirs à leur entourage. Ces personnes sont très intelligentes, car en apparence, elles vous font croire qu'elles ont accepté votre opinion, mais en coulisses, elles font ce qu'elles veulent.

Ce sont des personnes très énergiques et rebelles, mais la plupart d'entre elles réussissent, quelle que soit leur profession.

Ils veulent que les réalisations de leur vie laissent une trace et craignent de ne pas être reconnus au travail et dans leur carrière.

Le chiffre 1 représente la capacité à s'adapter et à réagir aux changements prévus et imprévus.

Elles symbolisent le mieux le leadership et la générosité. Ce sont des personnes intelligentes et extraverties. Elles ont une forte personnalité et sont enclines à être quelque peu égoïstes.

Les personnes ayant ce nombre vivent leur vie avec intensité, sans limites. Elles n'ont pas de problèmes éthiques et se comportent avec passion et insouciance.

Lorsqu'ils croient en une idée ou une cause, ils la défendent jusqu'au bout. Leurs convictions sont si profondes qu'ils sont prêts à se battre pour protéger ce qu'ils croient juste.

Ce sont des personnes déterminées ; lorsqu'elles se fixent un objectif, elles l'atteignent, même si elles rencontrent un million d'obstacles sur leur chemin. Elles ne craignent pas de se sacrifier.

Ils sont très amicaux et ont un grand sens de l'humour. Ils sont généralement populaires et c'est un plaisir de les côtoyer.

Ils sont sensibles aux offenses, mais ne prennent pas au sérieux celles qu'ils infligent eux-mêmes. Si quelqu'un les blesse profondément, ils n'hésitent pas à se venger et deviennent des individus cruels.

Leur mission dans la vie n'est pas seulement d'atteindre leurs propres objectifs, mais aussi d'aider les autres à les atteindre. Ils ont la capacité de motiver les autres.

Le défi pour les personnes ayant ce numéro est de ne pas être aussi égocentriques et de transmettre à leur entourage leur enthousiasme pour l'action.

Ce sont des personnes très indépendantes et si, en raison de certaines circonstances de la vie, elles doivent dépendre de quelqu'un d'autre, elles tombent dans la dépression.

Leur aspiration dans la vie est d'être indépendants et, une fois qu'ils y parviennent, ils se concentrent sur leur rôle de leader.

Quel que soit le secteur dans lequel il opère, le numéro 1 sera toujours aux commandes et dictera les règles dans son domaine de travail ou sa profession.

Les aspects négatifs du numéro 1 sont le narcissisme, l'égocentrisme et l'irritation. Ils sont parfois susceptibles d'avoir une ambition incontrôlée et d'être arrogants, vaniteux et impertinents.

Signification du chiffre 2

Les personnes portant le chiffre 2-2 sont caractérisées par leur protection, leur noblesse et leur affabilité.

Elles aiment accueillir des gens chez elles et s'occuper d'eux, ce qui les remplit d'exaltation et de plaisir. Elles sont généreuses et ont généralement beaucoup d'amis.

Ils aiment organiser des fêtes et n'oublient jamais les anniversaires des amis et des parents, sans oublier les anniversaires de mariage.

Les personnes portant le chiffre 2 sont toujours impliquées dans des activités communautaires ou affiliées à des groupes politiques. Ces activités satisfont leur besoin de reconnaissance et leur permettent de socialiser avec d'autres personnes.

2 est une personne attentionnée et serviable. Il aime se sentir aimé et utile.

L'enfance des personnes portant le chiffre 2 est bonne. Elles sont capables de donner de l'amour. Elles sont également très intuitives en ce qui concerne les émotions des autres et peuvent lire dans l'âme des autres. Elles détestent être seules.

Le numéro 2 typique possède toujours une maison pleine d'amis et, s'il ne peut pas venir, il a recours à de longues conversations au téléphone avec ses amis et ses proches.

La vie sociale et familiale est importante pour le numéro 2, qui se marie généralement très jeune en raison de son désir de fonder une famille et a souvent beaucoup d'enfants, ce qui fait de lui un bon parent.

Les conflits leur font peur car ils n'ont pas un esprit résistant et stable.

Elles excellent dans leur domaine professionnel, mais il leur est difficile d'atteindre le succès absolu parce qu'elles manquent de persévérance. Elles sont également un peu paresseuses, même si elles ne se l'avouent pas à elles-mêmes.

En cas d'échec, ils cherchent des excuses dans des facteurs externes, mais ne procèdent jamais à une analyse constructive des particularités de leur personnalité qui ont déclenché l'échec.

Leur aspiration est de capter l'attention des personnes qui les entourent. Pour ce faire, ils séduisent leur entourage en leur donnant ce qu'ils désirent. Le problème, c'est qu'ils promettent plus qu'ils ne peuvent tenir.

Ils peuvent devenir des parents très permissifs et élever des enfants désobéissants.

Ils sont attirés par les caresses, ils ont besoin de prendre dans leurs bras et d'embrasser tous ceux qu'ils aiment et ils adorent être embrassés et pris dans leurs bras.

Ils excellent dans les sports, en particulier les sports d'équipe.

Ils sont attachés à la nature et organisent donc souvent des excursions avec leur famille et leurs amis.

Si vos ressources financières le permettent, vous possèderez une maison à la campagne où vous serez heureux, en contact avec la nature et les animaux.

Au travail, les personnes ayant ce numéro sont celles qui travaillent avec le public et qui gèrent du personnel.

Signification du chiffre 3

Le chiffre 3 représente l'expansion. Ces personnes se caractérisent par leur perspicacité à réaliser tout ce qu'elles désirent.

Ce sont des personnes analytiques qui étudient en détail toutes les informations qui leur parviennent afin de tirer le meilleur parti de chaque opportunité.

Ils persistent dans leurs objectifs et sont prêts à tout pour les atteindre. Cependant, la force qu'elles ont déployée au début s'estompe au fil du temps et leurs objectifs ne sont pas atteints. Dans ce cas, elles changent de plan.

S'ils veulent quelque chose et qu'ils trouvent un chemin plus court pour atteindre leur destination, ils le suivront, que ce chemin soit moralement correct ou non.

Nombreux sont ceux qui manquent de volonté et d'endurance pour surmonter les difficultés auxquelles ils sont confrontés.

Leurs sentiments sont volatiles, un jour ils sont enthousiastes, mais un mois plus tard ils peuvent se désintéresser complètement de la question.

Les personnes ayant le chiffre 3 sont fascinées par le recommencement.

Tant qu'ils s'intéressent à quelque chose, ils y consacrent toutes leurs aptitudes mentales et leurs compétences, mais ils ne sont pas en mesure de maintenir cet intérêt longtemps.

La routine les fatigue et lorsqu'ils changent d'intérêt, ils redeviennent enthousiastes.

Il en va de même en amour. La personnalité 3 est narcissique et a du mal à entretenir des relations stables.

Elles sont séduisantes, chaleureuses, charismatiques et amicales. Si elles veulent conquérir quelqu'un, elles y parviendront car la personne ne pourra pas résister à leurs séduisantes méthodes de séduction.

Ils tombent généralement amoureux au premier regard et pensent que la personne qu'ils ont rencontrée est leur âme sœur.

Ils se sentent ainsi et, au début de leur relation, ils pensent déjà au mariage et aux enfants. Malheureusement, cela ne se produit pas car la passion disparaît avant qu'ils n'atteignent l'autel.

Ils ont tendance à avoir deux personnalités. D'une part, elles essaient de sauver les apparences, de paraître sûres d'elles aux yeux du monde et de soigner leur image. D'autre part, elles ressentent une insécurité intérieure et craignent que quelqu'un ne les démasque.

Ils suivent leur intuition : s'ils ont blessé quelqu'un, des excuses sincères ne poseront pas de problème.

Signification du chiffre 4

Le chiffre 4 symbolise la volonté. Les personnes portant le chiffre 4 confondent souvent ténacité et entêtement.

Ils ont tendance à défendre leurs opinions devant les autres et continueront à le faire, même si les faits leur donnent tort.

Ils ont du mal à reconnaître qu'ils ont tort et n'acceptent presque jamais leurs erreurs.

Le 4e est caractérisé par la responsabilité. Dans le travail, cette qualité est admirable. S'il doit terminer un travail, il peut veiller toute la nuit pour le faire à temps.

Au travail ou dans toute autre activité, le 4 aura une très bonne présence.

Il ne manquera à ses devoirs sous aucun prétexte, la seule chose qui pourrait l'en empêcher serait une maladie grave.

A la maison et avec leur partenaire, les n°4 sont des personnes difficiles car ils exagèrent les situations et ont tendance à se noyer dans un verre d'eau. Ils créent des problèmes pour des broutilles, ce qui irrite beaucoup leur entourage.

Ces accès de mauvaise humeur ne durent pas longtemps et le numéro 4 retrouve rapidement son calme et oublie l'incident.

Optimistes et sarcastiques, ils ont l'esprit vif et un sens de l'humour qui amuse leurs amis.

Ils ont une vision analytique du caractère des autres et peuvent déceler les défauts que les gens veulent cacher. Il est difficile de tromper un numéro 4 et ceux qui essaient sont victimes de leur satire.

Un numéro 4 a peu de chances d'assister à une fête et de passer inaperçu, car son sens de l'humour et sa personnalité extravertie l'amèneront au centre de l'attention.

Parmi ses aspects négatifs, on peut noter que le nombre 4 a tendance à connaître des moments de tristesse, durant lesquels il concentre ses énergies de manière négative.

Il passe généralement ces moments mélancoliques à analyser sa vie, mais à cause de sa mauvaise humeur *et de son manque d'enthousiasme, il finit par être insatisfait de lui-même et de sa vie.*

Vous vous sentez seul et vous ne parlez de vos pensées à personne. Vous aimez paraître confiant et optimiste et cacher vos insécurités.

Signification du chiffre 5

En numérologie, le chiffre 5 est connu comme l'ermite expert.

Les personnes ayant ce numéro considèrent la vie comme une aventure passionnante.

Ils sont analytiques et logiques et aiment découvrir les mystères de tout ce qui se passe autour d'eux. L'ignorance et le manque de connaissances les ennuient.

L'intelligence est leur meilleure vertu. Ils sont brillants et ils le savent, ils sont donc un peu arrogants, curieux et essaient d'accroître leurs connaissances.

Ce sont généralement des personnes mélancoliques et introverties. Cependant, elles savent écouter les autres et prodiguer des conseils.

Votre but dans la vie est d'apprendre et l'argent pour le numéro 5 n'est qu'un moyen de voyager ou de gagner du temps pour vous consacrer tranquillement à l'étude des sujets qui vous intéressent.

L'enrichissement n'est jamais votre but et vos énergies seront concentrées sur quelque chose de plus élevé.

Ils ne sont pas très communicatifs et parfois même leurs amis proches les considèrent comme des inconnus. Il est important pour un numéro 5 de protéger sa vie privée et de maintenir une distance émotionnelle avec les autres, car il se sent ainsi protégé. Sinon, il s'isole des personnes auxquelles il tient le plus.

Les numéros 5 sont des intellectuels, mais ils peuvent aussi se consacrer à la vie religieuse.

Certains sont introvertis et apprécient la solitude comme personne d'autre. Ils détestent être harcelés et aiment que leur vie privée soit respectée.

Ils sont accueillants et nouent toujours des amitiés solides et durables, mais n'ont pas une vie sociale aussi active.

Ils ont une imagination et une capacité intellectuelle incroyables. Ils aiment profiter de leur temps car, pour eux, le divertissement est une façon de le gaspiller. Si cela ne tenait qu'à eux, ils consacreraient chaque minute de leur vie à l'étude.

Le numéro 5 a besoin d'affection et de se sentir aimé, mais il ne sait pas comment le demander ni comment s'adresser aux autres. Il est déconnecté de ses propres *émotions, et ses propres sentiments lui sont étrangers, comme si c'était quelqu'un d'autre qui les ressentait.*

Ils ont tendance à être égoïstes avec l'argent, ce qui ne signifie pas qu'ils sont impatients d'accumuler des richesses, mais plutôt qu'ils préfèrent gérer leurs ressources de manière à avoir l'esprit tranquille et à pouvoir consacrer leurs capacités intellectuelles à des sujets qui les intéressent vraiment.

Lorsque quelqu'un offense un numéro 5, il ne répond pas par des insultes ou des bagarres, mais si l'offense est grande, le numéro 5 retire son affection à l'offenseur. Lorsqu'un numéro 5 perd son affection pour quelqu'un, c'est pour toujours. Il est implacable et ne pardonne pas.

Signification du chiffre 6

Les personnes portant le chiffre 6 affichent une apparence paisible à l'extérieur. Ce n'est qu'une façade, car à l'intérieur, elles sont souvent tourmentées par des problèmes existentiels et des peurs.

Elles ressentent constamment un sentiment de danger, qui peut soit exister réellement, soit n'être que le fruit de leur imagination. Elles peuvent avoir une peur profonde du changement, des erreurs, de la solitude et de la trahison.

Elles souffrent d'insécurité et d'un manque de confiance en elles. Elles se croient incapables de faire face à des situations conflictuelles et cela les terrifie.

Elles communiquent bien en société malgré leur timidité. Cependant, elles ont tendance à se sentir observées et persécutées, et ne font donc confiance à personne. Elles doutent des intentions des gens et cette attitude les conduit parfois à s'isoler.

Les personnes portant le chiffre 6 détestent la confusion dans les relations amoureuses, elles disent clairement ce qu'elles ressentent et attendent la même chose de leur partenaire. Elles s'efforcent d'être gentilles et polies.

Le numéro 5 a une double personnalité, son monde intérieur est totalement différent de ce qu'il montre à l'extérieur.

Le numéro 6 a du mal à se connaître, il est instable et passe d'un optimisme exagéré à un pessimisme dramatique, il n'arrive pas à trouver l'équilibre.

Dans leurs relations, ils oscillent d'un extrême à l'autre ; s'ils rencontrent quelqu'un qui leur plaît, ils le considèrent immédiatement comme le meilleur ami du monde. Cependant, ils finissent par être désillusionnés et s'éloignent de cette personne.

Pendant l'enfance, les personnes ayant le chiffre 6 ont craint les personnes autoritaires. La plupart d'entre elles ont été élevées par des personnes possessives qui ont amplifié cette insécurité du chiffre 6.

À l'âge adulte, ils tentent de contrer ce sentiment d'insécurité en établissant une relation avec une personne qui les protège émotionnellement.

Lorsqu'il s'agit de prendre une décision, le numéro 6 est réticent à donner son avis ou à se prononcer sur une question. S'il est contraint de donner son avis, il est peu probable qu'il montre ce qu'il ressent vraiment, à moins qu'il ne soit avec des personnes en qui il a confiance.

Elles sont énergiques et efficaces au travail. Elles sont capables de se concentrer.

Ils parviennent à gravir les échelons et à occuper des postes importants grâce à leur sens du détail et à leur persévérance.

Je suis capable de travailler en équipe et d'exécuter les ordres sans problème.

Ils sont attentifs aux membres de la famille et montrent facilement leur affection.

Signification du chiffre 7

Le chiffre 7 est considéré comme le chiffre le plus spirituel. Ces personnes ont une énorme capacité intuitive.

Ce qui les tourmente, c'est le sentiment de ne pas profiter pleinement de la vie. Ils ont constamment besoin de nouvelles expériences qui leur permettent d'apprendre et d'intégrer des connaissances. Elles aiment voyager, découvrir d'autres cultures, apprendre de nouvelles langues et sont prêtes à tout pour satisfaire leur désir d'aventure.

En général, les personnes portant le chiffre 7 ont eu une enfance où elles ont été stimulées intellectuellement, ont appris à penser par elles-mêmes et ont beaucoup de bon sens.

Vous aimez avoir des relations avec les gens et établir des liens permanents. L'amitié est une affaire sérieuse pour le numéro 7, qui a peu d'amis, mais qui entretient des amitiés à vie.

Elles sont compréhensives et compatissantes. Elles sont empathiques et se mettent à la place des autres.

Elles sont généralement impliquées dans des activités caritatives.

Il n'est pas facile de tromper un numéro 7 grâce à son intuition, car il détecte facilement le mal, le mensonge et les mauvaises intentions. Ils choisissent bien les personnes de leur entourage, aiment les personnes altruistes et se tiennent à l'écart des personnes insensibles et égoïstes. Cette attitude leur vaut la réputation d'être arrogants.

Ils souhaitent un équilibre entre la vie sociale et le temps passé seul pour réfléchir à leur situation.

Le numéro 7 est utopique, il entreprend des activités qu'il n'achève jamais ou fait des projets qu'il ne réalise jamais. Il est donc susceptible de souffrir de pessimisme.

Elles se laissent guider par leur intuition. Ils sont extravertis et aiment s'amuser. La solitude n'est jamais appréciée par le numéro 7 et provoque des changements dans son tempérament.

Les 7 se caractérisent par leur caractère studieux et introspectif. Ils aiment analyser les connaissances et adopter de nouvelles perspectives sur les sujets qu'ils découvrent.

Ils aiment les débats intellectuels, où ils peuvent défendre leur point de vue tout en écoutant celui des autres.

Durant l'enfance, le chiffre 7 a été amené à surmonter les peurs en faisant appel à l'imagination. Les personnes portant ce chiffre n'ont souvent pas eu de bonnes relations avec leurs parents et se sont rebellées contre l'autorité parentale. Quand elles le veulent, elles peuvent être tout à fait charmantes et s'attirer les faveurs de tout le monde.

Signification du chiffre 8

Les personnes portant le chiffre 8 se caractérisent par une grande sensibilité. En raison de cette sensibilité, elles sont influençables. Elles doivent être traitées avec douceur, car elles peuvent être facilement blessées.

Dans la sphère sociale, elles brillent par leur amabilité, leur charisme et leur vivacité d'esprit. Elles séduisent par leurs manières et leur éducation.

Elles jugent les autres avec une certaine sévérité. Elles ont tendance à être compréhensives à l'égard de leurs propres erreurs, mais dures et exigeantes à l'égard des erreurs des autres.

Ils n'acceptent pas que l'on souligne leurs erreurs et ne laissent guère passer celles des autres. L'indulgence n'est légitime que pour eux-mêmes. Elles peuvent être un peu cruelles.

Le numéro 8 a généralement une très bonne image de lui-même et le démontre par des commentaires sarcastiques.

Au travail, elles ne savent pas travailler en équipe, sont rebelles et génèrent beaucoup de conflits. Ils sont enclins à s'apitoyer sur leur sort et pensent qu'ils sont les personnes les plus malheureuses et misérables de la planète.

Sur le plan émotionnel, ils sont très inconstants : un jour, ils peuvent être très intéressés par quelque chose ou quelqu'un, et le lendemain, ils peuvent s'en désintéresser complètement. En amour, elles peuvent être très affectueuses à un moment et totalement indifférentes le lendemain.

Ils aiment voir leurs souhaits se réaliser et utilisent les mots pour y parvenir, car ils sont d'excellents orateurs et peuvent facilement convaincre n'importe qui.

Leur comportement varie selon leur convenance. Ils sont rebelles sans raison et n'aiment pas suivre les ordres. Cependant, si cela leur convient, ils se comportent comme les personnes les plus dociles du monde.

Amoureux de l'argent, les numéros 8 vivent confortablement sans problèmes financiers. Ils sont économes et bons gestionnaires.

Si quelqu'un les blesse, ce qui est facile, ils deviennent vengeurs et ne s'arrêtent pas tant qu'ils n'ont pas l'impression d'avoir été récompensés en nature. Cependant, avec les personnes en qui elles ont confiance, elles sont sensibles et toujours prêtes à aider leurs proches.

Le numéro 8 n'est pas une personne mélancolique ou réfléchie. Il aime profiter des plaisirs de la vie sans se poser de problèmes philosophiques ou existentiels. Il est généralement de nature joyeuse dans ses relations avec les autres.

Signification du chiffre 9

Les personnes portant le chiffre 9 sont mentalement indépendantes et souffrent si elles se sentent contraintes.

Leur personnalité est extrêmement optimiste, ils parviennent à trouver un côté positif à tout, indépendamment du caractère dramatique de chaque situation.

Il est direct et honnête et, s'il a des collaborateurs sous ses ordres, il prend des décisions impartiales. Cette caractéristique lui vaut rapidement l'estime de ses subordonnés.

Ils détestent la trahison ; s'ils trahissaient quelqu'un, ils ne se le pardonneraient jamais. Elles savent dire les choses de manière à ne blesser personne. Dans la sphère sociale, elles se distinguent par leurs réponses brillantes.

Elles sont observatrices et ont le souci du détail. Elles savent à qui faire confiance et à qui ne pas faire confiance, bien qu'elles ne traitent jamais personne mal.

Ils ne sont jamais de mauvaise humeur, leur caractère est joyeux et c'est pourquoi tout le monde veut être avec eux.

Le péché du numéro 9 est la paresse. Il n'est pas actif, il aime dormir et se reposer sans rien faire. Ils sont méfiants et se laissent facilement influencer par les autres.
Ils n'ont pas d'objectifs clairs et se laissent emporter par les idées des autres. Parfois, ils sont irresponsables, se laissent emporter par leurs émotions et ne pensent pas aux conséquences.

En général, ils ont de la chance, mais par négligence, ils ratent des occasions que d'autres auraient pu saisir immédiatement.
Ils craignent les difficultés, les fuient lorsqu'elles se présentent et sont incapables de faire face à des situations difficiles.

En amour, le 9 peut avoir tendance à exagérer ses sentiments, mais il est passionné.

Le pessimisme de votre entourage ne vous affecte pas, car votre optimisme résiste à toutes les situations.
Ils ne sont pas rancuniers, ils oublient rapidement les offenses. Ils ont un cœur et une âme nobles.

Elles sont généreuses et toujours prêtes à justifier les fautes des autres ; elles ne sont pas exigeantes envers les autres.

Elles renoncent souvent à leurs propres désirs pour se conformer aux attentes des autres. Ce ne sont pas des battants, ils ont donc tendance à abandonner facilement.

Le phénomène de la répétition des chiffres.

Il est vrai que nous sommes entourés de chiffres et en contact avec eux à chaque seconde, mais il arrive que nous ayons l'impression que certains chiffres nous suivent, partout où nous regardons, nous les voyons se répéter : sur les montres, les ordinateurs, les plaques d'immatriculation des voitures, à la télévision, sur les tickets de caisse et même dans nos rêves. Il n'y a pas de coïncidence, il y a synchronisation, et ce phénomène s'appelle la synchronisation numérique.

Peut-être était-ce rare dans le passé, mais chaque jour, de plus en plus de personnes sont témoins de ce phénomène et beaucoup remettent en question les modèles établis pour tenter de trouver une réponse valable.

Les experts en la matière affirment que ce mystère, associé à une conscience globale plus élevée, crée des sentiments qui font évoluer spirituellement de nombreuses personnes. Le fait de voir des chiffres de manière répétée peut également être considéré comme un signe. Nous avons presque tous des nombres que nous considérons comme chanceux ou favoris et il peut arriver que nous voyions soudainement ce nombre partout. Lorsque nous recevons ce genre de message, le plus souvent caché à nos yeux mais pas à notre esprit, cela montre que nous avons la capacité de percevoir d'autres réalités.

De l'Antiquité à nos jours, la science sacrée de la numérologie a conservé son importance. Les nombres enseignent des opportunités de croissance, des leçons de vie et des instructions dans chaque expérience.

Certaines personnes voient des séquences numériques dans certains événements importants, mais les plus courants sont 11 :11, 222 et 333. Tous ces nombres, selon l'astrologie et la numérologie, sont des nombres maîtres ayant une signification unique, représentant différents aspects du moi intérieur, de la personnalité à la spiritualité ; ces nombres sont plus influents que d'autres et attirent donc notre attention.

11 :11 - Observez attentivement vos pensées et veillez à ne penser qu'à ce que vous voulez et non à ce que vous ne voulez pas. Cette séquence indique qu'une opportunité se présente et que vos pensées se matérialisent très rapidement.

222 - Nos idées nouvellement plantées commencent à porter leurs fruits. Continuez à les cultiver et elles se manifesteront bientôt. En d'autres termes, n'abandonnez pas cinq minutes avant que le miracle ne se produise.

333 - Les maîtres ascensionnés sont proches de toi et ils veulent que tu saches que tu as leur aide, leur

amour et leur compagnie. Invoquez souvent les maîtres ascensionnés, surtout lorsque vous voyez des schémas se former autour de vous avec le chiffre 3.

Ces figures augmentent la conscience et la perception parce qu'elles offrent un canal vers le subconscient.

Ce phénomène se produit de manière inattendue, mais au bon moment et pour une raison précise, changeant parfois le cours de notre vie et influençant nos pensées. Lorsque l'univers a un message à nous transmettre, c'est l'une des façons d'attirer notre attention. Nous devons rester réceptifs au monde qui nous entoure, car les nombres sont le langage de la nature et tout ce qui nous entoure peut-être représenté par des nombres.

"Tout dans l'univers est mathématiquement précis et chaque nombre a sa propre énergie, sa propre vibration et sa propre signification. La disposition des nombres dans une séquence a une signification particulière". Pythagore

Numérologie pour les personnes nées en 2024

Enfant numéro 1

Vous serez un enfant doté de compétences en matière de leadership. Vous aurez une capacité innée à négocier, à contrôler et à gérer des personnes et des projets.

Enfants numéro 2

Ce sont des enfants calculateurs et puissants. Ils auront une attitude positive face aux défis de la vie et une grande confiance en eux.

Enfants numéro 3

Ils seront des enfants très justes, raisonnables et calmes.
Ces enfants défendent toujours les bonnes causes. Ils sont très perspicaces et ont un état de conscience élevé.

Enfants numéro 4

Ils seront des enfants toujours à la recherche de défis, ils ne craindront pas les obstacles, car ces revers les rendront plus forts.

Enfants numéro 5

Ce seront des enfants financièrement capables, mais pas matérialistes. Ils auront d'excellentes compétences en matière d'argent et de gestion d'entreprise. Ils peuvent avoir des compétences en mathématiques.

Enfants numéro 6

Ce sont des enfants qui s'efforcent de maintenir un équilibre entre le monde matériel et le monde spirituel. Ils essaieront toujours de maintenir l'harmonie entre leur vie professionnelle, sociale et personnelle.

Enfants numéro 7

Ils seront des enfants responsables et généreux. Ils sont intelligents et aiment aider les autres. Ils seront également très spirituels.

Enfant numéro 8

Ces enfants seront très stables et maîtres d'eux-mêmes. Ils seront organisés, stables et très prospères.

Enfants numéro 9

Ce seront des enfants au caractère bien trempé. Ils sont travailleurs et assidus. Elles sont indépendantes et font preuve d'une incroyable force de détermination.

Définition de l'année personnelle

Chaque fois qu'une nouvelle année commence, il est probable que vous vous posiez des questions et que vous écriviez des objectifs sans savoir quels défis la nouvelle année vous réserve.

Lorsqu'une année commence, un chapitre de notre vie se ferme, mais un cycle commence qui nous met au défi, car nous ne sommes pas sûrs que tous nos rêves se réaliseront.

Qu'est-ce qui m'attend dans la nouvelle année : vais-je acheter une maison, trouver un nouveau partenaire, changer de travail ? Est-ce la bonne année pour avoir des enfants ?

Il est important d'avoir l'esprit ouvert lorsque nous ne sommes pas sûrs de ce qui est nouveau ou différent. Mais avec la numérologie, nous avons la possibilité d'utiliser notre année personnelle et de nous faire une idée de la façon dont les choses pourraient se dérouler.

Les numéros d'année universels sont différents des autres car ils ne dépendent pas du nom et de la date de naissance. Les deux premiers chiffres du numéro de l'année représentent l'équilibre du siècle. Le troisième chiffre du numéro de l'année symbolise le rythme de la décennie. Le quatrième chiffre n'a pas de signification particulière.

Comment calculer votre année personnelle.

En voici un exemple :

Juan Carlos est né le 7 décembre 1965.

Pour connaître votre année personnelle 2024, nous avons fait ce calcul :

7 (jour de naissance) + 1+2 (mois de naissance) + 2 + 0 + 2 + 4 (début de l'année) = 18 (1 + 8) = 9

Pour Juan Carlos, 2024 est une année 9 personnelle.

Ce nombre est important, surtout si le résultat est l'un des nombres maîtres : 11, 22 et 33.

L'année personnelle décrit ce que vous avez à faire pendant cette période. Il s'agira de choix, de changements ou de renforcements qui enrichiront votre parcours.

Année personnelle 1

Mots clés pour l'année 1 : Transformation, Recherche, Implication.

Un nouveau chapitre de votre vie s'ouvre. Il est probable que vous changiez de domicile, que vous trouviez un nouvel emploi ou que vous rencontriez de nouvelles personnes qui changeront votre vie pour toujours.

Cette année jettera les bases de nouveaux projets et de nouvelles idées. C'est une période de renaissance. Vous devriez voir cette année comme le moment idéal pour changer plusieurs aspects de votre vie, il y a des choses qui ne vous conviennent plus et dont vous devez vous débarrasser.

Cette année vous invite à prendre courage et à essayer de réaliser vos rêves ; vous aurez vraiment l'enthousiasme de faire des changements. Prenez courage et explorez de nouvelles opportunités et attitudes qui vous aideront à changer l'orientation de votre vie.

Cette année 2024 est une invitation personnelle à faire confiance, à réfléchir à ce que vous voulez, à choisir objectivement et à décider ce que vous voulez réussir. Essayez de choisir ce qui vous rend vraiment heureux.

Commencez à dresser la liste des choses que vous voulez changer, y compris les améliorations dans votre vie quotidienne, comme changer vos habitudes alimentaires ou faire de l'exercice. N'oubliez pas que pour commencer quelque chose, il faut le planifier avec persévérance et détermination.

Cette année est l'occasion idéale de clore un cycle ; vous devez laisser derrière vous tout ce qui ne vous sert pas. Concentrez-vous sur ce qui vous aidera à grandir, à vous développer ou à apprendre. Ne craignez pas de laisser tomber ce qui vous a été utile dans le passé.

Il faut oublier le passé et se tourner vers l'avenir. Trop de choses se sont produites qui ont pu embrouiller votre esprit ; ces choses vous empêchent d'accéder aux chemins qui mènent au bonheur.

Si vous avez des entreprises et des projets, essayez de les développer sans forcer les choses. Essayez de donner un rythme à tout.

Essayez de ne pas contracter de nouvelles dettes.

La vie vous récompensera.

Année personnelle 2

Mots clés pour l'année 2 : *responsabilité, harmonie, stabilité.*

Cette année, vous devriez continuer à construire. L'année 2024 vous permettra de trouver des mentors, des enseignants ou même un partenaire. Les énergies de l'année sont axées sur la coopération et la patience.

Vous entrez dans une phase de développement et devez concrétiser vos initiatives. Cette année 2 peut sembler lente, mais c'est une période de définition de vos objectifs.

Il est probable que vous rencontriez des obstacles ou des personnes qui tentent de restreindre votre chemin ; il est donc important de ne pas vous laisser submerger et de ne pas vous angoisser. Vous ne devez pas vous préoccuper de ce qui entrave vos efforts, c'est une évolution naturelle qui fait partie de votre processus de croissance.

Vous devez apprendre à faire preuve de plus de diplomatie et de tact. Les gens peuvent sembler distraits, mais cela ne doit pas vous empêcher de vous faire de nouveaux amis.

Si, lorsque vous avez fait le calcul, la somme était de 11, cela signifie qu'il est temps de respirer, d'évoluer et de prendre conscience.

L'année des bénédictions est à nos portes. Essayez de vous débarrasser de toutes les personnes toxiques si vous voulez avoir une année prospère, ne faites confiance à personne.

L'année 2024 vous offre l'opportunité de vous défaire des soucis du passé et de prendre les rênes de votre vie avec plus d'enthousiasme.

La vie vous présentera de tout nouveaux projets et vous donnera l'occasion de construire votre avenir si vous laissez le passé derrière vous. C'est l'année où il faut penser à soi, dépasser les limites et ne pas s'auto-saboter.

Il faut être courageux et aborder la vie de manière positive.

Année personnelle 3

Mots clés pour l'année 3 : Agilité, Créativité, Information.

C'est l'année où vous chercherez à partager votre sagesse avec le monde. Vous aurez le sentiment de faire partie d'un ensemble plus vaste et vous éprouverez beaucoup de satisfaction et d'épanouissement.

Vous devez vous débarrasser des sentiments de restriction que vous avez accumulés. La seule façon d'obtenir des résultats cette année est de laisser votre créativité s'exprimer. Libérez-vous de la rigidité, laissez libre cours à votre imagination. Vous avez besoin d'aller plus loin.

Trouvez un nouveau passe-temps, changez vos habitudes,
Commencer à mettre en œuvre de nouvelles idées et solutions pour relever les défis rencontrés en cours de route.

Vous devrez travailler dur, mais vous aurez l'occasion de renforcer vos liens individuels et d'établir des relations plus formelles. Ces liens seront mis à l'épreuve : certaines relations ne vous conviennent pas. Elles peuvent vous apporter beaucoup de plaisir, *mais elles ont un côté sombre. Essayez d'établir des objectifs communs avec les personnes que vous aimez.*

Au cours de cette année, vous devrez accorder plus d'attention à votre alimentation et à votre repos, car vos niveaux d'énergie seront faibles.

Année personnelle 4

Mots clés pour l'année 4 : *renouvellement, restauration, innovation, affirmation de soi.*

Cette année, vous devez travailler dur et être organisé. Si vous parvenez à rester dans le présent, vous arriverez à vos fins.

Le moment est venu de réfléchir et d'analyser vos objectifs personnels. Vous devez établir un plan pour atteindre quelque chose de spécifique et de bien structuré.

Essayez de penser à votre avenir, de prendre des responsabilités et d'organiser soigneusement tous vos projets. Vous serez peut-être un peu autocritique, ce qui vous amènera à affermir vos points de vue et à devenir plus déterminé et plus résolu. C'est une bonne chose, car cela vous permet de prendre conscience de tous les changements qui interviennent dans votre environnement.

Cela aura inévitablement un effet positif sur les relations familiales et les amitiés proches. Vous vous affirmerez davantage, ce qui aura un impact positif sur vos relations personnelles.

Si vous vous organisez, ce sera une année de prospérité, d'abondance et de triomphes. Ayez confiance en vous, car vous pourrez retrouver votre enthousiasme et vivre avec enthousiasme.

L'inertie est votre pire ennemi cette année, tout comme les pensées négatives. Le destin vous offre la possibilité de réaliser tout ce que vous désirez, alors osez-vous battre pour ces rêves.

Année personnelle 5

Mots clés pour la cinquième classe : *Caractère, Volonté, Effort, Courage, Reconnaissance, Visualisation.*

Une année au cours de laquelle vous vivrez de nombreuses aventures, émotions et où vous aurez l'occasion de planter des graines dans l'intention de réussir.

La cinquième année est comme une injection d'enthousiasme pour vous ; par conséquent, planifiez à l'avance car c'est une année de nombreux changements. Vous devez être prêt à faire face à certains événements imprévus. Essayez d'être réceptif à toutes les opportunités et à tous les défis.

Il faut être lucide, prudent et ne jamais sous-estimer son potentiel.

Essayez d'élargir votre cercle d'amis, de soigner votre image publique et de faire attention aux contrats que vous devez signer.

Prenez soin de vous et vous obtiendrez le succès que vous méritez. Prenez les habitudes qui vous garantiront la prospérité dans les années à venir. Calculez vos risques et saisissez les occasions idéales lorsqu'elles se présentent.

Ne vous précipitez pas et agissez raisonnablement, en pensant toujours à ce qui est le mieux pour vous à long terme. Oubliez les résultats immédiats et acceptez que les choses prennent du temps et que vous ne pouvez pas toujours vous attendre à ce qu'elles se produisent quand vous le souhaitez.

Personnel de l'année 6

Mots clés pour l'année 6 : réorganiser, relancer, réformer, remplacer, manifester, diffuser, transmettre, informer, participer.

L'année 2024 vous offre la possibilité de guérir vos blessures sentimentales et de vous débarrasser de toutes les émotions refoulées qui dorment dans votre subconscient.

Vous serez très concentré sur le foyer et la famille. C'est le moment idéal pour créer un environnement plus stable et plus harmonieux autour de vous.

Il est essentiel que vous appreniez cette année à partager tout ce que vous avez reçu en abondance. Vous devez également éviter les actions impulsives afin de ne pas commettre d'erreurs.

Agissez toujours de manière éthique, essayez de rester calme et confiant dans vos décisions. Vous obtiendrez des résultats incroyables et tout cela grâce à votre courage. Tout ce qui était paralysé se mettra soudain à couler et vous vous sentirez libéré. Il peut y avoir

des périodes d'instabilité, mais elles sont nécessaires pour briser la routine.
Vous aurez l'occasion de voyager, de vous amuser et de contrôler les excès de toute nature.

Année personnelle 7

Mots clés pour l'année 7 : Investigation, Observation, Vérification, Contrôle, Transformations, Métamorphose.

Cette année apportera de nombreux changements. Ces changements peuvent concerner les amitiés, les relations, le travail et la maison.

Il y a la possibilité de rencontrer quelqu'un d'important qui vous aidera à progresser dans votre profession ou peut-être à vous fiancer.

Il s'agit d'une année "entre parenthèses", puisqu'il y aura une pause pour
Valoriser tout ce que vous avez fait. Vous devez vous débarrasser de tout ce qui ne fonctionne pas, qu'il s'agisse d'objets ou de relations.

Pour ce faire, vous devez aiguiser vos capacités d'analyse et ne pas craindre d'analyser en profondeur ce qui vous limite.

Grâce à ces processus de purification, vos relations seront discutées. La confrontation permet d'éliminer les erreurs et les fautes.

Vous serez attiré par des thèmes ésotériques, mais vous grandirez spirituellement. N'oubliez pas que *chacun entre dans cette vie avec un contrat différent du vôtre et que vous ne devez pas juger le chemin des autres. Chacun est là où il doit être.*

Année personnelle 8

Mots clés pour l'année 8 : *succès, évolution, restauration, transformation, réhabilitation, reconstruction, prospérité.*

L'abondance et le succès viendront à vous. Vous vous sentirez béni par toutes les opportunités qui se présenteront à vous. Cette année personnelle est liée au karma, donc si vous avez bien travaillé, des dividendes vous attendent. Ce sera une année importante au cours de laquelle vous serez très occupé.

Cette année, vous devez remettre chaque pièce à sa place. Il est temps de prendre des décisions, de réfléchir et de choisir ce que vous voulez et qui vous voulez dans votre vie.

Vous aurez davantage confiance en vous et disposerez d'une plus grande capacité mentale pour relever les défis. Vous devriez prendre des risques et entreprendre des études qui vous aideront à progresser dans votre profession.
Vous devriez profiter de moments de solitude, accompagné de vos pensées, loin de l'agitation des médias sociaux. Pratiquez la méditation combinée à des techniques de respiration.
N'accordez pas trop d'importance aux questions superflues et aux personnes toxiques.

Année personnelle 9

Mots clés pour l'année 9 : *Surmonter, Terminer, Conclure, Réaliser, Sentir, Percevoir, Éduquer, Former, Étudier, Expérimenter, Approfondir.*

Cette année, il sera difficile de résister au changement. C'est une année de fin. Jetez ce qui est inutile et tenez-vous à l'écart des vampires énergétiques.

Entourez-vous de personnes qui vous apportent connaissances et bonne énergie. Protégez-vous de la magie noire. Organisez votre maison, jetez ce que vous n'utilisez pas, les objets abîmés, car cela fera de la place pour le nouveau.

Le destin vous crie à l'oreille ce que vous voulez vraiment et si vous êtes prêt à vous battre pour l'obtenir.

L'engagement de cette année est le vôtre, vous devez Laissez tomber vos peurs et vos insécurités, car pendant cette période, vous devez être vigilant et ne pas trop vous plaindre.

A propos de l'auteur

Outre ses connaissances astrologiques, Alina A. Rubi possède une riche expérience professionnelle. Rubi possède une riche expérience professionnelle ; elle est certifiée en psychologie, hypnose, reiki, guérison bioénergétique avec des cristaux, guérison angélique, interprétation des rêves et est formatrice spirituelle. Rubi a des connaissances en gemmologie, qu'elle utilise pour programmer des pierres ou des minéraux en amulettes puissantes ou en talismans protecteurs.

Rubi a une nature pratique et orientée vers les résultats, ce qui lui a donné une vision spéciale et intégrative des différents mondes, facilitant la recherche de solutions à des problèmes spécifiques. Alina rédige des horoscopes mensuels pour le site web de l'Association américaine des astrologues, qui peuvent être consultés à l'adresse www.astrologers.com. Elle tient actuellement une chronique hebdomadaire dans le journal El Nuevo Herald sur des sujets spirituels, publiée tous les dimanches en format numérique et les lundis en format papier. Il présente également un programme *hebdomadaire et un horoscope sur la chaîne YouTube du journal. Son annuaire astrologique est publié chaque année dans le journal Diario las Américas, avec la rubrique Rubi Astrologa.*

Rubi a écrit plusieurs articles sur l'astrologie pour la publication mensuelle "Today's Astrologer" et a donné des cours sur l'astrologie, le tarot, la lecture des lignes de la main, la guérison par les cristaux et l'ésotérisme. Elle diffuse des vidéos hebdomadaires sur des sujets ésotériques sur sa chaîne YouTube : Rubi Astrologer. Elle a eu sa propre émission d'astrologie diffusée quotidiennement sur Flamingo T.V., a été interviewée par divers programmes de télévision et de radio et publie chaque année son "Annuaire astrologique" avec l'horoscope signe par signe et d'autres sujets mystiques intéressants.

Elle est l'auteur des livres "Rice and beans for the soul" Part I, II et III, une collection d'articles ésotériques publiés en anglais, espagnol, français, italien et portugais. Money for Every Pocket", "Love for Every Heart", "Health for Everybody", Astrological Yearbook 2021, Horoscope 2022, Rituals and Spells for Success in 2022, Spells and Secrets 2023, Astrology Lessons, Rituals and Spells 2024 et Chinese Horoscope 2024 sont disponibles en neuf langues: anglais, russe, portugais, chinois, italien, français, espagnol, japonais et allemand.

Rubi parle couramment l'anglais et l'espagnol et combine tous ses talents et connaissances dans ses lectures. Elle vit actuellement à Miami, en Floride.

Pour plus d'informations, veuillez **consulter le site** www.esoterismomagia.com.

Angeline A. Rubi est la fille d'Alina Rubi. Elle est l'éditrice de tous les livres. Elle étudie actuellement la psychologie à l'université internationale de Floride. Elle est l'auteur de Des protéines pour votre esprit, un recueil d'articles métaphysiques.

Elle s'intéresse aux sujets métaphysiques et ésotériques depuis son enfance et pratique l'astrologie et la Kabbale depuis l'âge de quatre ans. Elle connaît le tarot, le reiki et la gemmologie.

Pour de plus amples informations, veuillez la contacter par courrier électronique : **rubiediciones29@gmail.com**

Milton Keynes UK
Ingram Content Group UK Ltd.
UKHW032049010124
435297UK00014B/674